HiSET Libro de práctica de matemáticas

2023

La revisión más completa para la sección de matemáticas de la prueba HiSET

Por

Reza Nazarí

Traducido por Kamrouz Berenji

Todas las consultas deben dirigirse a:
info@effortlessmath.com
www.Effortlessmath.com
www.mathlibros.com

Número ISBN:

Publicado por: **Effortless Math Education Inc.**
ParaPráctica de Math en Línea Visita www.Effortlessmath.com

Bienvenidos a Preparación para matemáticas de CHSPE Año 2023

Te felicito por elegir Effortless Math para tu preparación para el examen de matemáticas CHSPE y felicitaciones por tomar la decisión de tomar el examen CHSPE! Es un movimiento notable que estás tomando, uno que no debe ser disminuido en ninguna capacidad.

Es por eso que debe usar todas las herramientas posibles para asegurarse de tener éxito en el examen con el puntaje

Si las matemáticas nunca han sido un tema sencillo para ti, **¡no te preocupes**! Este libro lo ayudará a prepararse para (e incluso ACE) la sección de matemáticas del examen CHSPE. A medida que se acerca el día de la prueba, la preparación efectiva se vuelve cada vez más importante. Afortunadamente, tiene esta guía de estudio completa para ayudarlo a prepararse para el examen. Con esta guía, puede sentirse seguro de que estará más que listo para el examen de matemáticas CHSPE cuando llegue el momento.

En primer lugar, es importante tener en cuenta que este libro es una guía de estudio y no un libro de texto. Es mejor leerlo de principio a fin. Cada lección de este "libro de matemáticas autoguiado" se desarrolló cuidadosamente para garantizar que esté haciendo el uso más efectivo de su tiempo mientras se prepara para el examen. Esta guía actualizada refleja las pautas de la prueba de 2022 y lo pondrá en el camino correcto para perfeccionar sus habilidades matemáticas, superar la ansiedad por los exámenes y aumentar su confianza, para que pueda tener lo mejor de sí mismo para tener éxito en la prueba de matemáticas CHSPE.

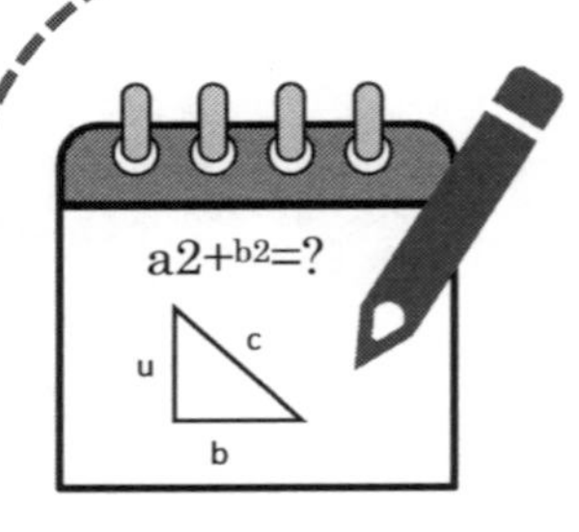

Esta guía de estudio:

- Explica el formato de la prueba de matemáticas CHSPE.
- Describe estrategias específicas para tomar exámenes que pueda usar en el examen.
- Proporciona consejos para tomar exámenes de matemáticas CHSPE.
- Revisa todos los conceptos y temas de CHSPE Matemática en los que será probado.
- Le ayudarla a identificar las áreas en las que necesita concentrar su tiempo de estudio.
- Ofrece ejercicios que lo ayuden a desarrollar las habilidades matemáticas básicas que aprenderá en cada sección.
- Ofrece **2 pruebas de práctica realistas y completas** (con nuevos tipos de preguntas) con respuestas detalladas para ayudarlo a medir su preparación para el examen y generar confianza.

Este recurso contiene todo lo que necesitará para tener éxito en el examen de matemáticas CHSPE. Obtendrá instrucciones detalladas sobre cada tema de matemáticas, así como consejos y técnicas sobre cómo responder a cada tipo de pregunta. Además, en las siguientes páginas encontrarás:

Cómo usar este libro de manera efectiva: esta sección le proporciona instrucciones paso a paso sobre cómo aprovechar al máximo esta completa guía de estudio.

- **Cómo estudiar para el CHSPE Matemática Test** Se ha desarrollado un programa de estudio de seis pasos para ayudarlo a hacer el mejor uso de este libro y prepararse para su examen de CHSPE Matemática. Aquí encontrará consejos y estrategias para guiar su programa de estudio y ayudarlo a comprender CHSPE Matemática y cómo aprobar el examen.

- **Revisión de matemáticas de CHSPE**: aprenda todo lo que necesita saber sobre el examen de matemáticas de CHSPE.
- **Estrategias de toma de exámenes de matemáticas** de CHSPE: aprenda cómo poner en práctica de manera efectiva estas técnicas recomendadas de toma de exámenes para mejorar su puntaje de matemáticas de CHSPE.
- **Consejos para el día de** la prueba: revise estos consejos para asegurarse de que hará todo lo posible cuando llegue el gran día.

Centro en línea CHSPE de EffortlessMath

Effortless Math Online CHSPE Center ofrece un programa de estudio completo, que incluye lo siguiente:

- ✓ Instrucciones paso a paso sobre cómo prepararse para el examen de matemáticas CHSPE
- ✓ Numerosas hojas de trabajo de matemáticas de CHSPE para ayudarlo a medir sus habilidades matemáticas
- ✓ Lista completa de fórmulas matemáticas de CHSPE
- ✓ Lecciones en video para todos los temas de matemáticas de CHSPE
- ✓ Exámenes completos de práctica de matemáticas CHSPE
- ✓ Y mucho más...

No es necesario registrarse

Visite **Effortlessmath.com/GED** para encontrar sus recursos en línea de GED Matemática.

Cómo se utiliza este libro efectivamente

Mire no más cuando necesite una guía de estudio para mejorar sus habilidades matemáticas para tener éxito en la parte de matemáticas de la prueba CHSPE. Cada capítulo de esta guía completa de CHSPE Matemática le proporcionará el conocimiento, las herramientas y la comprensión necesaria para cada tema cubierto en el examen.

Es imperativo que entiendas cada tema antes de pasar a otro, ya que esa es la forma de garantizar tu éxito. Cada capítulo le proporciona ejemplos y una guía paso a paso de cada concepto para comprender mejor el contenido que estará en la prueba. Para obtener los mejores resultados posibles de este libro:

- **Comience a estudiar mucho antes de la fecha de su examen**. Esto le proporciona tiempo suficiente para aprender los diferentes conceptos matemáticos. Cuanto antes comiences a estudiar para el examen, más agudas serán tus habilidades. ¡No procrastinar! Proporciónese suficiente tiempo para aprender los conceptos y siéntase cómodo de entenderlos cuando llegue la fecha de su examen.
- **Practica consistentemente**. Estudie los conceptos de matemáticas de CHSPE al menos de 20 a 30 minutos al día. Recuerde, lento y constante gana la carrera, lo que se puede aplicar a la preparación para el examen de matemáticas CHSPE. En lugar de abarrotar para abordar todo a la vez, sea paciente y aprenda los temas de matemáticas en ráfagas cortas.
- Cada vez que se equivoque en un problema de matemáticas**, márquelo y revíselo más tarde** para asegurarse de que comprenda el concepto.
- Comience cada sesión **revisando el material anterior.**
- Una vez que haya revisado las lecciones del libro, **realice una prueba de práctica en la parte posterior del libro** para medir su nivel de preparación. Luego, revise sus resultados. Lea las respuestas y soluciones detalladas para cada pregunta en la que se haya equivocado.
- **Tome otra prueba** de práctica para tener una idea de qué tan listo está para tomar el examen real. Tomar las pruebas de práctica le dará la confianza

quenecesite para el día del examen. Simule el entorno de prueba de CHSPE sentándose en una habitación tranquila y libre de distracciones. Asegúrese de registrarse con un temporizador.

Cómo estudiar para el CHSPE Matemática Prueba

- Estudiar para el examen de matemáticas CHSPE puede ser una tarea realmente desalentadora y aburrida. ¿Cuál es la mejor manera de hacerlo? ¿Existe algún método de estudio que funcione mejor que otros? Bueno, estudiar para el CHSPE Matemática se puede hacer de manera efectiva. El siguiente programa de seis pasos ha sido diseñado para hacer que la preparación para el examen de matemáticas CHSPE sea más eficiente y menos abrumadora.

- Paso**1** - Crear un plan de estudio
- Paso**2** - Elige tus recursos de estudio
- Paso**3** - Revisar, Aprender, Practicar
- Paso**4** - Aprender y practicar estrategias de toma de exámenes
- Paso**5** - Aprende el formato de la prueba CHSPE y toma pruebas de práctica
- Paso**6** - Analiza tu rendimiento

PASO1: Crear un plan de estudio

Siempre es más fácil hacer las cosas cuando tienes un plan. Crear un plan de estudio para el examen de matemáticas CHSPE puede ayudarlo a mantenerse en el camino con sus estudios. Es importante sentarse y preparar un plan de estudio con lo que funciona con su vida, trabajo y cualquier otra obligación que pueda tener. Dedica suficiente tiempo cada día al estudio. También es una gran idea dividir cada sección del examen en bloques y estudiar un concepto a la vez. Es importante entender que no hay una manera "correcta" de crear un plan de estudio. Su plan de estudio será personalizado en función de sus necesidades específicas y estilo de aprendizaje.

Siga estas pautas para crear un plan de estudio efectivo para su examen de matemáticas CHSPE:

★ **Analice su estilo de aprendizaje y hábitos de estudio**: cada persona tiene un estilo de aprendizaje diferente. Es esencial abrazar tu individualidad y la forma única en que aprendes. Piensa en lo que funciona y lo que no funciona para ti. ¿Prefieres los libros de preparación para matemáticas de CHSPE o una combinación de libros de texto y lecciones en video? ¿Te funciona mejor si estudias todas las noches durante treinta minutos o es más efectivo estudiar por la mañana antes de ir a trabajar?

★ **Evalúe su horario**: revise su horario actual y averigüe cuánto tiempo puede dedicar constantemente al estudio de matemáticas de CHSPE.

★ **Desarrolle un horario**: ahora es el momento de agregar su horario de estudio a su calendario como cualquier otra obligación. Programe tiempo para estudiar, practicar y revisar. Planifique qué tema estudiará en qué día para asegurarse de que está dedicando suficiente tiempo a cada concepto. Desarrolle un plan de estudio que sea consciente, realista y flexible.

★ **Apéguese a su horario**: un plan de estudio solo es efectivo cuando se sigue de manera consistente. Debe tratar de desarrollar un plan de estudio que pueda seguir durante la duración de su programa de estudio.

Evalúe su plan de estudio y ajústelo según sea necesario: a veces necesita ajustar su plan cuando tiene nuevos compromisos. Consulte con usted mismo regularmente para asegurarse de que no se está quedando atrás en su plan de estudio. Recuerde, lo más importante es apegarse a su plan. Tu plan de estudios se trata de ayudarte a ser más productivo. Si encuentras que tu plan de estudio no es tan efectivo como deseas, no te desanimes. Está bien hacer cambios a medida que descubres qué funciona mejor para ti.

PASO2: Elija sus recursos de estudio

Hay numerosos libros de texto y recursos en línea disponibles para el examen de matemáticas CHSPE, y es posible que no esté claro por dónde comenzar. ¡No te preocupes! Esta guía de estudio proporciona todo lo que necesita para prepararse completamente para su examen de matemáticas CHSPE. Además del contenido del libro, también puede usar los recursos en línea de Effortless

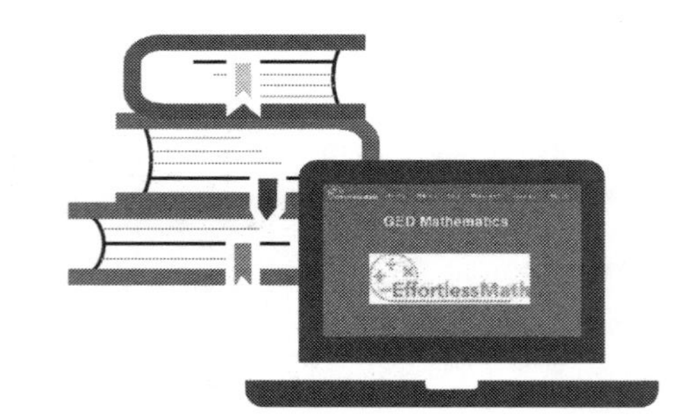

Matemática. (lecciones en video, hojas de trabajo, fórmulas, etc.) En cada página, hay un enlace (y un código QR) a una página web en línea que proporciona una revisión completa del tema, instrucciones paso a paso, video tutorial y numerosos ejemplos y ejercicios para ayudarlo a comprender completamente el concepto.

También puede visitar Effortlessmath.com/CHSPE para encontrar sus recursos en línea de CHSPE Matemática.

PASO3: Revisar, aprender, practicar

Esta guía de estudio de CHSPE Matemática divide cada tema en habilidades específicas o áreas de contenido. Por ejemplo, el concepto de porcentaje se divide en diferentes temas: cálculo de porcentaje, aumento y disminución porcentual, porcentaje de problemas, etc. Use esta guía de estudio y el centro de CHSPE en línea de Effortless Matemática para ayudarlo a repasar todos los conceptos y temas clave de matemáticas en el examen de matemáticas de CHSPE.

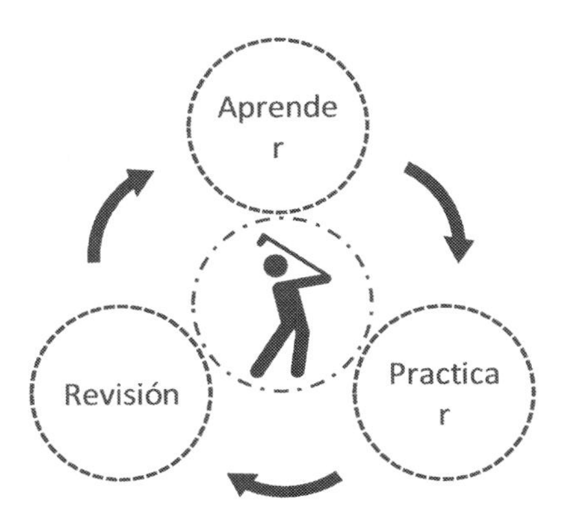

A medida que lea cada tema, tome notas o resalte los conceptos que le gustaría repasar nuevamente en el futuro. Si no está familiarizado con un tema o algo es difícil para usted, use el enlace (o el código QR) en la parte inferior de la página para encontrar la página web que proporciona más instrucciones sobre ese tema. Para cada tema de matemáticas, se proporcionan muchas instrucciones, guías paso a paso y ejemplos para garantizar que obtenga una buena comprensión del material.

Revise rápidamente los temas que entienda para obtener un repaso del material. Asegúrese de hacer las preguntas de práctica proporcionadas al final de cada capítulo para medir su comprensión de los conceptos.

PASO4: Aprender y Practicar Estrategias de toma de exámenes

En las siguientes secciones, encontrará importantes estrategias y consejos para tomar exámenes que pueden ayudarlo a ganar puntos adicionales. Aprenderás a pensar estratégicamente y cuándo adivinar si no sabes la respuesta a una pregunta. El uso de estrategias y consejos para tomar exámenes de matemáticas de CHSPE puede ayudarlo a aumentar su puntaje y obtener buenos resultados en el examen.

Aplique estrategias de toma de exámenes en las pruebas de práctica para ayudarlo a aumentar su confianza.

STEP 5: Aprenda el formato de la prueba CHSPE y realice pruebas de práctica

La sección *Revisión de la prueba de CHSPE* proporciona información sobre la estructura de la prueba de CHSPE. Lea esta sección para obtener más información sobre la estructura de la prueba CHSPE, las diferentes secciones de la prueba, el número de preguntas en cada sección y los límites de tiempo de la sección. Cuando tenga una comprensión previa del formato del examen y los diferentes tipos de preguntas de matemáticas de CHSPE, se sentirá más seguro cuando realice el examen real.

Una vez que haya leído las instrucciones y lecciones y sienta que está listo para comenzar, aproveche las dos pruebas de práctica de matemáticas CHSPE completas disponibles en esta guía de estudio. Use las pruebas de práctica para agudizar sus habilidades y desarrollar confianza.

Las pruebas de práctica de matemáticas de CHSPE que se ofrecen al final del libro tienen un formato similar a la prueba de matemáticas de CHSPE real. Cuando realice cada prueba de práctica, intente simular las condiciones reales de la prueba. Para tomar las pruebas de práctica, siéntese en un espacio tranquilo, tómese el tiempo y trabaje en tantas preguntas como el tiempo lo permita. Las pruebas de práctica son seguidas por explicaciones de respuesta detalladas para ayudarlo a encontrar sus áreas débiles, aprender de sus errores y aumentar su puntaje de matemáticas CHSPE.

Paso 6: Analice su rendimiento

Después de tomar las pruebas de práctica, revise las claves de respuesta y las explicaciones para saber qué preguntas respondió correctamente y cuáles no. Nunca te desanimes si cometes algunos errores. Véalos como una oportunidad de aprendizaje. Esto resaltará sus fortalezas y debilidades.

Puede usar los resultados para determinar si necesita práctica adicional o si está listo para tomar el examen de matemáticas CHSPE real.

STEP 3: Review, Learn, Practice

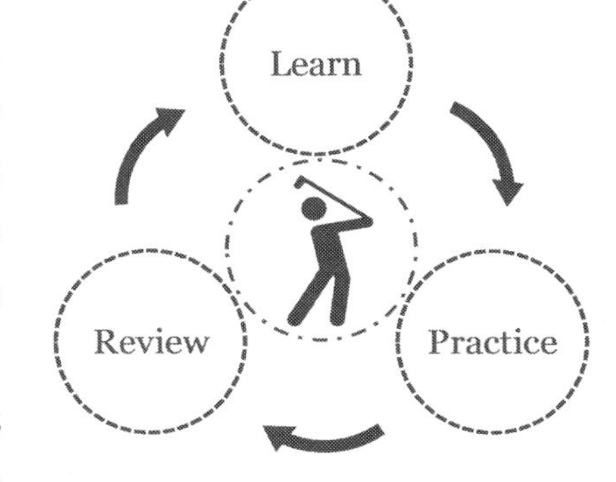

This CHSPE Math exercise book breaks down each subject into specific skills or content areas. For instance, the percent concept is separated into different topics–percent calculation, percent increase and decrease, percent problems, etc. Use this book to help you go over all key math concepts and topics on the CHSPE Math test.

As you review each topic, take notes or highlight the concepts you would like to go over again in the future. If you're unfamiliar with a topic or something is difficult for you, use the link (or the QR code) at the top of the page to find the webpage that provides more instruction about that topic. For each math topic, plenty of instructions, step-by-step guides, and examples are provided to ensure you get a good grasp of the material.

Quickly review the topics you do understand to get a brush-up of the material. Be sure to do the practice questions provided at the end of every chapter to measure your understanding of the concepts.

PASO4: Aprender y Practicar Estrategias de toma de exámenes

En las siguientes secciones, encontrará importantes estrategias y consejos para tomar exámenes que pueden ayudarlo a ganar puntos adicionales. Aprenderás a pensar estratégicamente y cuándo adivinar si no sabes la respuesta a una pregunta. El uso de estrategias y consejos para tomar exámenes de matemáticas de CHSPE puede ayudarlo a aumentar su puntaje y obtener buenos resultados en el examen. Aplique estrategias de toma de exámenes en las pruebas de práctica para ayudarlo a aumentar su confianza.

STEP 5: Aprenda el formato de la prueba CHSPE y realice pruebas de práctica

La sección *Revisión de la prueba de CHSPE* proporciona información sobre la estructura de la prueba de CHSPE. Lea esta sección para obtener más información sobre la estructura de la prueba CHSPE, las diferentes secciones de la prueba, el número de preguntas en cada sección y los límites de tiempo de la sección. Cuando tenga una comprensión previa del formato del examen y los diferentes tipos de preguntas de matemáticas de CHSPE, se sentirá más seguro cuando realice el examen real.

Una vez que haya leído las instrucciones y lecciones y sienta que está listo para comenzar, aproveche las dos pruebas de práctica de matemáticas CHSPE completas disponibles en esta guía de estudio. Use las pruebas de práctica para agudizar sus habilidades y desarrollar confianza.

Las pruebas de práctica de matemáticas de CHSPE que se ofrecen al final del libro tienen un formato similar a la prueba de matemáticas de CHSPE real. Cuando realice cada prueba de práctica, intente simular las condiciones reales de la prueba. Para tomar las pruebas de práctica, siéntese en un espacio tranquilo, tómese el tiempo y trabaje en tantas preguntas como el tiempo lo permita. Las pruebas de práctica son seguidas por explicaciones de respuesta detalladas para ayudarlo a encontrar sus áreas débiles, aprender de sus errores y aumentar su puntaje de matemáticas CHSPE.

Paso 6: Analice su rendimiento

Después de tomar las pruebas de práctica, revise las claves de respuesta y las explicaciones para saber qué preguntas respondió correctamente y cuáles no. Nunca te desanimes si cometes algunos errores. Véalos como una oportunidad de aprendizaje. Esto resaltará sus fortalezas y debilidades.

Puede usar los resultados para determinar si necesita práctica adicional o si está listo para tomar el examen de matemáticas CHSPE real.

¿Buscas más?

Visite EffortlessMath.com/CHSPE para encontrar cientos de hojas de trabajo de CHSPE Math, tutoriales en video, pruebas de práctica, fórmulas de CHSPE Matematica y mucho más.

O escanea este código QR.

No es necesario registrarse.

Revisión de la prueba CHSPE

TEl Examen de Competencia de la Escuela Secundaria de California (conocido como CHSPE) es una prueba para que los estudiantes en California verifiquen sus habilidades de nivel de escuela secundaria. Los estudiantes toman el CHSPE para salir temprano de la escuela secundaria o para asistir a la universidad. Los examinados que aprueban el CHSPE reciben un diploma equivalente titulado Certificado de Competencia, de la Junta de Educación del Estado de California.

Hay dos secciones sobre CHSPE:

- Artes del lenguaje inglés
- Matemáticas

La sección de Matemáticas de CHSPE contiene 50 preguntas de opción múltiple que evalúan el contenido en las siguientes áreas:

- Detección numérica y operaciones
- Patrones, relaciones y álgebra
- Datos, estadísticas y probabilidad
- Geometría y medición

Se permite una calculadora básica en la sección de matemáticas de CHSPE. Las personas que rinden el examen tienen un total de 3.5 horas para tomar el CHSPE. Ninguna parte del examen está cronometrada, y puede pasar todo el tiempo que desee en cualquier parte hasta que finalice la sesión de prueba.

Estrategias para tomar exámenes de matemáticas de CHSPE

Aquí hay algunas estrategias de toma de exámenes que puede usar para maximizar su rendimiento y resultados en el examen de matemáticas CHSPE.

1: USE ESTE ENFOQUE PARA RESPONDER A CADA PREGUNTA DE MATEMÁTICAS DE CHSPE

- Revise la pregunta para identificar palabras clave e información importante.
- Traduzca las palabras clave en operaciones matemáticas para que puedas resolver el problema.
- Revise las opciones de respuesta. ¿Cuáles son las diferencias entre las opciones de respuesta?
- Dibuje o etiquete un diagrama si es necesario.
- Trate de encontrar patrones.
- Encontrar el método adecuado para responder a la pregunta. Use matemáticas sencillas, conecte números o pruebe las opciones de respuesta (resolución inversa).
- Revise su trabajo.

#2: USA CONJETURAS EDUCADAS

Este enfoque es aplicable a los problemas que entiendas hasta cierto punto, pero no puedes resolver usando matemáticas sencillas. En tales casos, trate de filtrar tantas opciones de respuesta como sea posible antes de elegir una respuesta. En los casos en los que no tenga idea de lo que implica un determinado problema, no pierda el tiempo tratando de eliminar las opciones de respuesta. Simplemente elija uno al azar antes de pasar a la siguiente pregunta.

Como puede comprobar, las soluciones directas son el enfoque óptimo. Lea cuidadosamente la pregunta, determine cuál es la solución utilizando las matemáticas que ha aprendido antes, luego coordine la respuesta con una de las opciones disponibles para usted. ¿Estás perplejo? Haz tu mejor suposición, luego sigue adelante.

¡No dejes ningún campo vacío! Incluso si no puede resolver un problema, esfuércese por responderlo. Adivina si tienes que hacerlo. No perderá puntos al obtener una respuesta incorrecta, ¡aunque puede ganar un punto al corregirla!

#3: PARA ESTIMAR

Una respuesta aproximada es una aproximación. Cuando nos sentimos abrumados por los cálculos y las cifras, terminamos cometiendo errores tontos. Un decimal que se mueve por una unidad puede cambiar una respuesta de correcta a incorrecta, independientemente del número de pasos que haya realizado para obtenerla.

Si crees que sabes cuál puede ser la respuesta correcta (incluso si es solo una respuesta aproximada), generalmente tendrás la capacidad de eliminar un par de opciones. Si bien las opciones de respuesta generalmente se basan en el error promedio del estudiante y / o los valores que están estrechamente vinculados, aún podrá eliminar las opciones que están muy lejos. Trate de encontrar respuestas que no estén en el estadio proverbial cuando esté buscando una respuesta incorrecta en una pregunta de opción múltiple. Este es un enfoque óptimo para eliminar las respuestas a un problema.

#4: RESOLUCIÓN DE RETROCESO

La mayoría de las preguntas en el examen de matemáticas CHSPE serán en formato de opción múltiple. Muchos examinados prefieren las preguntas de opción múltiple, ya que al menos la respuesta está ahí. Por lo general, tendrá cuatro respuestas para elegir. Simplemente necesita averiguar cuál es el correcto. Por lo general, la mejor manera de hacerlo es "resolver la espalda".

Como se mencionó anteriormente, las soluciones directas son el enfoque óptimo para responder a una pregunta. Lea cuidadosamente un problema, calcule una solución y luego corresponda la respuesta con una de las opciones que se muestran frente a usted. Si no puede calcular una solución, su siguiente mejor enfoque implica "resolver".

Al volver a resolver un problema, compare una de sus opciones de respuesta con el problema que se le pregunta, luego vea cuál de ellas es la más relevante. La mayoría de las veces, las opciones de respuesta se enumeran en orden ascendente o descendente. En tales casos, pruebe las opciones B o C. Si no es correcto, puedes bajar o subir desde allí.

5 : CONECTANDO NÚMEROS

"Conectar números" es una estrategia que se puede aplicar a una amplia gama de diferentes problemas matemáticos en el examen CHSPE Matemática. Este enfoque se utiliza normalmente para simplificar una pregunta desafiante para que sea más comprensible. Al usar la estrategia con cuidado, puede encontrar la respuesta sin demasiados problemas.

El concepto es bastante sencillo: reemplace variables desconocidas en un problema con ciertos valores. Al seleccionar un número, tenga en cuenta lo siguiente:

- Elija un número que sea básico (pero no demasiado básico). En general, debe evitar elegir 1 (o incluso 0). Una opción decente es 2.
- Trate de no elegir un número que se muestre en el problema.
- Asegúrese de mantener sus números diferentes si necesita elegir al menos dos de ellos.
- La mayoría de las veces, elegir números simplemente le permite filtrar algunas de sus opciones de respuesta. Como tal, no solo vaya con la primera opción que le brinde la respuesta correcta.
- Si varias respuestas parecen correctas, deberá elegir otro valor e intentarlo de nuevo. Esta vez, sin embargo, solo tendrá que verificar las opciones que aún no se han eliminado.
- Si su pregunta contiene fracciones, entonces una posible respuesta correcta puede involucrar una pantalla LCD (mínimo común denominador) o un múltiplo LCD.
- 100 es el número que debe elegir cuando se trata de problemas que involucran porcentajes.

CHSPE Matemática – Consejos para el día del examen

Después de practicar y revisar todos los conceptos matemáticos que te han enseñado, y tomar algunas pruebas de práctica de matemáticas CHSPE, estarás preparado para el día del examen. Considere los siguientes consejos para estar extra listo en el momento de la prueba.

Antes de la prueba

Qué hacer la noche anterior:

- **¡Relajate!** Un día antes de su examen, estudie a la ligera u omita el estudio por completo. Tampoco debes intentar aprender algo nuevo. Hay muchas razones por las que estudiar la noche antes de una gran prueba puede funcionar en tu contra. Dicho de esta manera: un maratonista no saldría a correr antes del día de una gran carrera. Los maratonistas mentales, como usted, no deben estudiar durante más de una hora y 24 horas antes de una prueba de CHSPE. Esto se debe a que su cerebro requiere un poco de descanso para estar en su mejor momento. La noche antes de su examen, pase algún tiempo con familiares o amigos, o lea un libro.
- **Evite las pantallas brillantes**: tendrá que dormir bien la noche antes de su prueba. Las pantallas brillantes (como las que provienen de su computadora portátil, televisor o dispositivo móvil) deben evitarse por completo. Mirar una pantalla de este tipo mantendrá su cerebro en alto, lo que dificultará quedarse dormido a una hora razonable.
- **Asegúrese de que su cena sea saludable**: la comida que tiene para cenar debe ser nutritiva. Asegúrese de beber mucha agua también. Cargue sus carbohidratos complejos, al igual que lo haría un corredor de maratón. La pasta, el arroz y las papas son opciones ideales aquí, al igual que las verduras y las fuentes de proteínas.
- **Prepare su bolso para el día del examen**: la noche anterior a su examen, empaque su bolso con su papelería, pase de admisión, identificación y cualquier otro equipo que necesite. Mantenga la bolsa justo al lado de la puerta de su casa.
- **Haga planes para llegar al sitio** de prueba: antes de irse a dormir, asegúrese de comprender con precisión cómo llegará al sitio de la prueba. Si el estacionamiento es algo que tendrá que encontrar primero, planifíquelo. dependes del transporte público, revisa el horario. También debe asegurarse de que el tren / autobús / metro / tranvía que utiliza estará funcionando. Infórmese también sobre los cierres de carreteras. Si un padre o amigo lo acompaña, asegúrese de que también entienda qué pasos debe tomar.

El día de la prueba

- **Levántese razonablemente temprano, pero no demasiado temprano.**
- **Desayunar:** El desayuno mejora su concentración, memoria y estado de ánimo. Como tal, asegúrese de que el desayuno que come por la mañana sea saludable. Lo último que quieres ser es distraerte con una barriga quejumbrosa. Si no es su propio estómago el que hace esos ruidos, otro examinador cercano a usted podría estar en su lugar. Prevenga la incomodidad o la vergüenza consumiendo un desayuno saludable. Traiga un bocadillo con usted si cree que lo necesitará.
- **Sigue tu rutina diaria** - ¿Ves Good Morning America cada mañana mientras te preparas para el día? No rompas tus hábitos habituales el día de la prueba. Del mismo modo, si el café no es algo que beba por la mañana, entonces no tome el hábito horas antes de su prueba. La consistencia de la rutina le permite concentrarse en el objetivo principal: hacer lo mejor que pueda en su prueba.
- **Use capas**: vístase con capas cómodas. Debe estar listo para cualquier tipo de temperatura interna. Si hace demasiado calor durante la prueba, quítese una capa.
- **Llegar temprano:** - Lo último que desea hacer es llegar tarde al sitio de prueba. Más bien, debe estar allí 45 minutos antes del inicio de la prueba. A su llegada, trate de no pasar el rato con nadie que esté nervioso. Cualquier energía ansiosa que exhiban no debería influirte.
- **Deje los libros en casa** - No se deben llevar libros al sitio de prueba. Si comienzas a desarrollar ansiedad antes del examen, los libros podrían alentarte a estudiar en el último minuto, lo que solo te obstaculizará. Mantenga los libros lejos, mejor aún, déjelos en casa.
- **Haga que su voz sea escuchada** - Si algo está mal, hable con un supervisor. Si necesita atención médica o si va a requerir algo, consulte al supervisor antes del inicio de la prueba. Cualquier duda que tengas debe ser aclarada. Debe ingresar al sitio de prueba con un estado mental que esté completamente claro.

- **Ten fe en ti mismo**: cuando te sientas seguro, podrás rendir al máximo. Cuando esté esperando a que comience la prueba, imagínese recibiendo un resultado sobresaliente. Trata de verte a ti mismo como alguien que conoce todas las respuestas, sin importar cuáles sean las preguntas. Muchos atletas tienden a usar esta técnica, especialmente antes de una gran competencia. Sus expectativas se verán reflejadas por su desempeño.

Durante la prueba

- **Mantenga la calma y respire profundamente**: debe relajarse antes de la prueba, y un poco de respiración profunda le ayudará mucho a hacerlo. Ten confianza y calma. Tienes esto. Todo el mundo se siente un poco estresado justo antes de que comience una evaluación de cualquier tipo. Aprenda algunos ejercicios de respiración efectivos. Dedique un minuto a meditar antes de que comience la prueba. Filtra cualquier pensamiento negativo que tengas. Muestre confianza cuando tenga tales pensamientos.

- **Concéntrese en la prueba**: absténgase de compararse con cualquier otra persona. No debes distraerte con las personas cerca de ti o el ruido aleatorio. Concéntrese exclusivamente en la prueba. Si se encuentra irritado por los ruidos circundantes, se pueden usar tapones para los oídos para bloquear los sonidos cerca de usted. No lo olvide: la prueba durará varias horas si está tomando más de un tema de la prueba. Parte de ese tiempo se dedicará a secciones breves. Concéntrese en la sección específica en la que está trabajando durante un momento en particular. No dejes que tu mente divague hacia las secciones próximas o anteriores.

- **Omita preguntas desafiantes**: optimice su tiempo al tomar el examen. Persistir en una sola pregunta durante demasiado tiempo funcionará en su contra. Si no sabe cuál es la respuesta a una determinada pregunta, use su mejor suposición y marque la pregunta para que pueda revisarla más adelante. No hay necesidad de pasar tiempo tratando de resolver algo de lo que no estás seguro. Ese tiempo sería mejor servido manejando las preguntas que realmente puede responder bien. No será penalizado por obtener la respuesta incorrecta en una prueba como esta.

- **Trate de responder a cada pregunta individualmente**: concéntrese solo en la pregunta en la que está trabajando. Utilice una de las estrategias de toma de pruebas para resolver el problema. Si no eres capaz de encontrar una respuesta, no te frustres. Simplemente omita esa pregunta, luego pase a la siguiente.
- **¡No olvides respirar!** Cada vez que note que su mente divaga, sus niveles de estrés aumentan o la frustración se está gestando, tome un descanso de treinta segundos. Cierra los ojos, suelta el lápiz, respira profundamente y deja que tus hombros se relajen. Terminarás siendo más productivo cuando te permitas relajarte por un momento.
- **Revisa tu respuesta**. Si todavía tiene tiempo al final de la prueba, no lo desperdicie. Regrese y revise sus respuestas. Vale la pena pasar por la prueba de principio a fin para asegurarse de que no cometió un error descuidado en alguna parte.
- **Optimice sus descansos**: cuando llegue el momento del descanso, use el baño, tome un refrigerio y reactive su energía para la sección posterior. Hacer algunos estiramientos puede ayudar a estimular el flujo sanguíneo.

Después de la prueba

- **Tómelo con calma**: deberá reservar un tiempo para relajarse y descomprimir una vez que la prueba haya concluido. No hay necesidad de estresarse por lo que podría haber dicho, o lo que puede haber hecho mal. En este punto, no hay nada que puedas hacer al respecto. Tu energía y tiempo se gastarían mejor en algo que te traerá felicidad por el resto de tu día.
- **Rehacer la prueba** - ¿Pasaste la prueba? ¡Felicidades! ¡Tu arduo trabajo valió la pena! Aprobar esta prueba significa que ahora estás tan bien informado como alguien que se ha graduado de la escuela secundaria.

  Sin embargo, si ha fallado su prueba, ¡no se preocupe! La prueba se puede volver a tomar. En tales casos, deberá seguir la política de retoma establecida por su estado. También debe volver a registrarse para volver a tomar el examen nuevamente.

Contenidos

Capítulo 1: Fracciones y Números Mixtos ... 1
Simplificación de Fracciones ... 2
Suma y Resta de Fracciones ... 3
Multiplicación y División de Fracciones ... 4
Suma de Números Mixtos ... 5
Resta de Números Mixtos ... 6
Multiplicación de Números Mixtos ... 7
División de Números Mixtos ... 8
Respuestas – Capítulo 1 ... 9
Capítulo 2: Decimales ... 13
Comparación de Decimales ... 14
Redondeo de Decimales ... 15
Suma y Resta de Decimales ... 16
Multiplicación y División de Decimales ... 17
Respuestas – Capítulo 2 ... 18
Capítulo 3: Enteros y Orden de Operaciones ... 21
Suma y Resta de Números Enteros ... 22
Multiplicación y División de Enteros ... 23
Orden de Operaciones ... 24
Números Enteros y Valor Absoluto ... 25
Respuestas – Capítulo 3 ... 26
Capítulo 4: Razones y Proporciones ... 29
Simplificación de Razones ... 30
Razones Proporcionales ... 31
Crear Proporción ... 32
Similitud y Razones ... 33
Interés Simple ... 34
Respuestas – Capítulo 4 ... 35
Capítulo 5: Porcentaje ... 39
Problemas de Porcentaje ... 40
Porcentaje de Aumento y Disminución ... 41

Descuento, Impuestos y Propina 42
Respuestas – Capítulo 5 43
Capítulo 6: Expresiones y Variables 45
Simplificación de Expresiones Variables 46
Simplificación de Expresiones Polinómicas 47
Evaluación de una Variable 48
Evaluación de dos variables 49
La Propiedad Distributiva 50
Respuestas – Capítulo 6 51
Capítulo 7: Ecuaciones y Desigualdades 55
Ecuaciones de un paso 56
Ecuaciones de Varios Pasos 57
Sistema de Ecuaciones 58
Graficación de Desigualdades de una Sola Variable 59
Desigualdades de un Paso 60
Desigualdades de varios Pasos 61
Respuestas – Capítulo 7 62
Capítulo 8: Líneas y Pendiente 67
Encontrar la Pendiente 68
Graficación de Líneas usando la Forma Pendiente-Intersección 69
Escribir Ecuaciones Lineales 70
Encontrar el Punto Medio 71
Encontrar la Distancia de Dos Puntos 72
Respuestas – Capítulo 8 73
Capítulo 9: Exponentes y Variables 77
Propiedad de Multiplicación de Exponentes 78
Propiedad de División de Exponentes 79
Potencias de Productos y Cocientes 80
Exponentes Cero y Negativos 81
Exponentes Negativos y Bases Negativas 82
Notación cientifica 83
Radicales 84
Respuestas – Capítulo 9 85

Capítulo 10: Polinomios 91
Simplificación de Polinomios 92
Suma y Resta de Polinomios 93
Multiplicación de Monomios 94
Multiplicación y División de Monomios 95
Multiplicación de un Polinomio y un Monomio 96
Multiplicación de Binomios 97
Factorización de Trinomios 98
Respuestas – Capítulo 10 99
Capítulo 11: Geometría y Figuras Sólidas 105
El teorema de Pitágoras 106
Triángulos 107
Polígonos 108
Círculos 109
Cubos 110
Trapecios 111
Prismas Rectangulares 112
Cilindro 113
Respuestas – Capítulo 11 114
Capítulo 12: Estadística 117
Media, Mediana, Moda y rango de los Datos Dados 118
Gráfico de Torta 119
Problemas de Probabilidad 120
Permutaciones y Combinaciones 121
Respuestas – Capítulo 12 122
Capítulo 13: Operaciones de Funciones 125
Notación y Evaluación de Funciones 126
Suma y Resta de Funciones 127
Multiplicación y División de Funciones 128
Composición de Funciones 129
Respuestas – Capítulo 13 130
Tiempo de Prueba 132
Prueba Práctica de Matemáticas CHSPE 1 .... **Error! Bookmark not defined.**

Contents

Prueba Práctica de Matemáticas CHSPE 2 ....Error! Bookmark not defined.

Claves de respuestas de los exámenes de práctica de matemáticas de CHSPE. Error! Bookmark not defined.

Respuestas y Explicaciones de los Exámenes de Práctica de Matemáticas de CHSPE............ Error! Bookmark not defined.

Capítulo 1: Fracciones y Números Mixtos

Temas de matemáticas que aprenderás en este capítulo:

- ✓ Simplificación de Fracciones
- ✓ Suma y Resta de Fracciones
- ✓ Multiplicación y División de Fracciones
- ✓ Suma de Números Mixtos
- ✓ Resta de Números Mixtos
- ✓ Multiplicación de Números Mixtos
- ✓ División de Números Mixtos

Simplificación de Fracciones

Simplifica cada fracción.

1) $\frac{8}{16} =$

2) $\frac{7}{21} =$

3) $\frac{11}{44} =$

4) $\frac{6}{24} =$

5) $\frac{6}{18} =$

6) $\frac{18}{27} =$

7) $\frac{15}{55} =$

8) $\frac{24}{54} =$

9) $\frac{63}{72} =$

10) $\frac{40}{64} =$

11) $\frac{23}{46} =$

12) $\frac{35}{63} =$

13) $\frac{32}{36} =$

14) $\frac{81}{99} =$

15) $\frac{16}{64} =$

16) $\frac{14}{35} =$

17) $\frac{19}{38} =$

18) $\frac{18}{54} =$

19) $\frac{56}{70} =$

20) $\frac{40}{45} =$

21) $\frac{9}{90} =$

22) $\frac{20}{25} =$

23) $\frac{36}{42} =$

24) $\frac{40}{48} =$

25) $\frac{18}{54} =$

26) $\frac{48}{144} =$

Encuentra más en bit.ly/3nKet2X

Suma y Resta de Fracciones

Calcula y escribe la respuesta en el término más bajo.

1) $\frac{1}{3}+\frac{1}{5}=$

2) $\frac{2}{5}+\frac{3}{8}=$

3) $\frac{1}{3}-\frac{2}{9}=$

4) $\frac{4}{5}-\frac{2}{9}=$

5) $\frac{2}{9}+\frac{1}{3}=$

6) $\frac{3}{10}+\frac{2}{5}=$

7) $\frac{9}{10}-\frac{4}{5}=$

8) $\frac{7}{9}-\frac{3}{7}=$

9) $\frac{3}{4}+\frac{1}{3}=$

10) $\frac{3}{8}+\frac{2}{5}=$

11) $\frac{3}{4}-\frac{2}{5}=$

12) $\frac{7}{9}-\frac{2}{3}=$

13) $\frac{4}{9}+\frac{5}{6}=$

14) $\frac{2}{3}+\frac{1}{4}=$

15) $\frac{9}{10}-\frac{3}{5}=$

16) $\frac{7}{12}-\frac{1}{2}=$

17) $\frac{4}{5}+\frac{2}{3}=$

18) $\frac{5}{7}+\frac{1}{5}=$

19) $\frac{5}{9}-\frac{2}{5}=$

20) $\frac{3}{5}-\frac{2}{9}=$

21) $\frac{7}{9}+\frac{1}{7}=$

22) $\frac{5}{8}+\frac{2}{3}=$

23) $\frac{5}{7}-\frac{2}{5}=$

24) $\frac{7}{9}-\frac{3}{4}=$

25) $\frac{3}{5}-\frac{1}{6}=$

26) $\frac{3}{12}+\frac{2}{7}=$

Multiplicación y División de Fracciones

Resuelve y escribe la respuesta en el término más bajo.

1) $\frac{1}{3} \times \frac{9}{5} =$

2) $\frac{1}{4} \times \frac{3}{7} =$

3) $\frac{1}{5} \div \frac{1}{4} =$

4) $\frac{1}{6} \div \frac{5}{12} =$

5) $\frac{2}{3} \times \frac{4}{7} =$

6) $\frac{5}{7} \times \frac{3}{4} =$

7) $\frac{2}{5} \div \frac{3}{7} =$

8) $\frac{3}{7} \div \frac{5}{8} =$

9) $\frac{3}{8} \times \frac{4}{7} =$

10) $\frac{2}{9} \times \frac{6}{11} =$

11) $\frac{1}{10} \div \frac{3}{8} =$

12) $\frac{3}{10} \div \frac{4}{5} =$

13) $\frac{6}{7} \times \frac{4}{9} =$

14) $\frac{3}{7} \times \frac{5}{6} =$

15) $\frac{7}{9} \div \frac{6}{11} =$

16) $\frac{1}{15} \div \frac{2}{3} =$

17) $\frac{1}{13} \times \frac{1}{2} =$

18) $\frac{1}{12} \times \frac{4}{7} =$

19) $\frac{1}{15} \div \frac{4}{9} =$

20) $\frac{1}{16} \div \frac{1}{2} =$

21) $\frac{4}{7} \times \frac{5}{8} =$

22) $\frac{1}{11} \times \frac{4}{5} =$

23) $\frac{1}{16} \div \frac{5}{8} =$

24) $\frac{1}{15} \div \frac{2}{3} =$

25) $\frac{1}{13} \times \frac{2}{5} =$

26) $\frac{1}{18} \times \frac{3}{7} =$

Encuentra más en bit.ly/2M4oABB

Suma de Números Mixtos

Resuelve y escribe la respuesta en el término más bajo.

1) $1\frac{1}{5}+2\frac{2}{5}=$

2) $1\frac{1}{2}+4\frac{5}{6}=$

3) $2\frac{4}{5}+2\frac{3}{10}=$

4) $3\frac{1}{6}+2\frac{2}{5}=$

5) $1\frac{5}{6}+1\frac{2}{5}=$

6) $3\frac{5}{7}+1\frac{2}{9}=$

7) $3\frac{5}{8}+2\frac{1}{3}=$

8) $1\frac{6}{7}+3\frac{2}{9}=$

9) $2\frac{5}{9}+1\frac{1}{4}=$

10) $3\frac{7}{9}+2\frac{5}{6}=$

11) $2\frac{1}{10}+2\frac{2}{5}=$

12) $1\frac{3}{10}+3\frac{4}{5}=$

13) $3\frac{1}{12}+2\frac{1}{3}=$

14) $5\frac{1}{11}+1\frac{1}{2}=$

15) $3\frac{1}{21}+2\frac{2}{3}=$

16) $4\frac{1}{24}+1\frac{5}{8}=$

17) $2\frac{1}{25}+3\frac{3}{5}=$

18) $3\frac{1}{15}+2\frac{2}{10}=$

19) $5\frac{6}{7}+2\frac{1}{3}=$

20) $2\frac{1}{8}+3\frac{3}{4}=$

21) $2\frac{5}{7}+2\frac{2}{21}=$

22) $4\frac{1}{6}+1\frac{4}{5}=$

23) $2\frac{1}{7}+2\frac{3}{8}=$

24) $3\frac{1}{4}+2\frac{2}{3}=$

25) $1\frac{1}{13}+2\frac{3}{4}=$

26) $3\frac{2}{35}+2\frac{5}{7}=$

Encuentra más en

bit.ly/3aD3KDG

Resta de Números Mixtos

Resuelve y escribe la respuesta en el término más bajo.

1) $5\frac{2}{9} - 2\frac{1}{9} =$

2) $6\frac{2}{7} - 2\frac{1}{3} =$

3) $5\frac{3}{8} - 2\frac{3}{4} =$

4) $7\frac{2}{5} - 3\frac{1}{10} =$

5) $9\frac{5}{7} - 7\frac{4}{21} =$

6) $11\frac{7}{12} - 9\frac{5}{6} =$

7) $9\frac{5}{9} - 8\frac{1}{8} =$

8) $13\frac{7}{9} - 11\frac{3}{7} =$

9) $8\frac{7}{12} - 7\frac{3}{8} =$

10) $11\frac{5}{9} - 9\frac{1}{4} =$

11) $6\frac{5}{6} - 2\frac{2}{9} =$

12) $5\frac{7}{8} - 4\frac{1}{3} =$

13) $9\frac{5}{8} - 8\frac{1}{2} =$

14) $4\frac{9}{16} - 2\frac{1}{4} =$

15) $3\frac{2}{3} - 1\frac{2}{15} =$

16) $5\frac{1}{2} - 4\frac{2}{17} =$

17) $5\frac{6}{7} - 2\frac{1}{3} =$

18) $3\frac{3}{7} - 2\frac{2}{21} =$

19) $7\frac{3}{10} - 5\frac{2}{15} =$

20) $4\frac{5}{6} - 2\frac{2}{9} =$

21) $6\frac{3}{7} - 2\frac{2}{9} =$

22) $7\frac{4}{5} - 6\frac{3}{7} =$

23) $12\frac{3}{7} - 8\frac{1}{3} =$

24) $5\frac{4}{9} - 2\frac{5}{6} =$

25) $10\frac{1}{28} - 7\frac{3}{4} =$

26) $11\frac{5}{12} - 7\frac{5}{48} =$

Encuentra más en

bit.ly/3aPy7XJ

Multiplicación de Números Mixtos

Resuelve y escribe la respuesta en el término más bajo.

1) $1\frac{1}{6} \times 1\frac{3}{7} =$

2) $5\frac{1}{6} \times 2\frac{1}{4} =$

3) $3\frac{3}{7} \times 1\frac{2}{9} =$

4) $3\frac{3}{8} \times 3\frac{1}{6} =$

5) $1\frac{1}{2} \times 5\frac{2}{3} =$

6) $3\frac{1}{2} \times 6\frac{2}{3} =$

7) $9\frac{1}{2} \times 2\frac{1}{6} =$

8) $2\frac{5}{8} \times 8\frac{3}{5} =$

9) $3\frac{4}{5} \times 4\frac{2}{3} =$

10) $5\frac{1}{3} \times 2\frac{2}{7} =$

11) $6\frac{1}{3} \times 3\frac{3}{4} =$

12) $7\frac{2}{3} \times 1\frac{8}{9} =$

13) $8\frac{1}{2} \times 2\frac{1}{6} =$

14) $4\frac{1}{5} \times 8\frac{2}{3} =$

15) $3\frac{1}{8} \times 5\frac{2}{3} =$

16) $2\frac{2}{7} \times 6\frac{2}{5} =$

17) $2\frac{3}{8} \times 7\frac{2}{3} =$

18) $1\frac{7}{8} \times 8\frac{2}{3} =$

19) $9\frac{1}{2} \times 3\frac{1}{5} =$

20) $2\frac{5}{8} \times 4\frac{1}{3} =$

21) $6\frac{1}{3} \times 3\frac{2}{5} =$

22) $5\frac{3}{4} \times 2\frac{2}{7} =$

23) $8\frac{1}{6} \times 2\frac{2}{7} =$

24) $4\frac{1}{6} \times 7\frac{1}{5} =$

25) $2\frac{1}{5} \times 2\frac{5}{8} =$

26) $6\frac{2}{3} \times 4\frac{3}{5} =$

Encuentra más en bit.ly/2KLPk9k

División de Números Mixtos

Resuelve y escribe la respuesta en el término más bajo.

1) $6\frac{1}{2} \div 4\frac{2}{5} =$

2) $1\frac{3}{8} \div 1\frac{1}{4} =$

3) $6\frac{2}{5} \div 2\frac{4}{5} =$

4) $7\frac{1}{3} \div 6\frac{3}{4} =$

5) $7\frac{2}{5} \div 3\frac{3}{4} =$

6) $2\frac{4}{5} \div 3\frac{2}{3} =$

7) $8\frac{3}{5} \div 4\frac{3}{4} =$

8) $6\frac{3}{4} \div 2\frac{2}{9} =$

9) $5\frac{2}{7} \div 2\frac{2}{9} =$

10) $2\frac{2}{5} \div 3\frac{3}{5} =$

11) $4\frac{3}{7} \div 1\frac{7}{8} =$

12) $2\frac{5}{7} \div 2\frac{4}{5} =$

13) $8\frac{3}{5} \div 6\frac{1}{5} =$

14) $2\frac{5}{8} \div 1\frac{8}{9} =$

15) $5\frac{6}{7} \div 2\frac{3}{4} =$

16) $1\frac{3}{5} \div 2\frac{3}{8} =$

17) $5\frac{3}{4} \div 3\frac{2}{5} =$

18) $2\frac{3}{4} \div 3\frac{1}{5} =$

19) $3\frac{2}{3} \div 1\frac{2}{5} =$

20) $4\frac{1}{4} \div 2\frac{2}{3} =$

21) $3\frac{5}{6} \div 2\frac{4}{5} =$

22) $2\frac{1}{8} \div 1\frac{3}{4} =$

23) $5\frac{1}{2} \div 4\frac{2}{5} =$

24) $6\frac{3}{7} \div 2\frac{1}{7} =$

25) $3\frac{3}{6} \div 1\frac{5}{7} =$

26) $4\frac{4}{9} \div 4\frac{2}{3} =$

Respuestas – Capítulo 1

Simplificación de Fracciones

1) $\frac{1}{2}$
2) $\frac{1}{3}$
3) $\frac{1}{4}$
4) $\frac{1}{4}$
5) $\frac{1}{3}$
6) $\frac{2}{3}$
7) $\frac{3}{11}$
8) $\frac{4}{9}$
9) $\frac{7}{8}$
10) $\frac{5}{8}$
11) $\frac{1}{2}$
12) $\frac{5}{9}$
13) $\frac{8}{9}$
14) $\frac{9}{11}$
15) $\frac{1}{4}$
16) $\frac{2}{5}$
17) $\frac{1}{2}$
18) $\frac{1}{3}$
19) $\frac{4}{5}$
20) $\frac{8}{9}$
21) $\frac{1}{10}$
22) $\frac{4}{5}$
23) $\frac{6}{7}$
24) $\frac{5}{6}$
25) $\frac{1}{3}$
26) $\frac{1}{3}$

Suma y Resta de Fracciones

1) $\frac{8}{15}$
2) $\frac{31}{40}$
3) $\frac{1}{9}$
4) $\frac{26}{45}$
5) $\frac{5}{9}$
6) $\frac{7}{10}$
7) $\frac{1}{10}$
8) $\frac{22}{63}$
9) $\frac{13}{12}$
10) $\frac{31}{40}$
11) $\frac{7}{20}$
12) $\frac{1}{9}$
13) $\frac{23}{18}$
14) $\frac{11}{12}$
15) $\frac{3}{10}$
16) $\frac{1}{12}$
17) $\frac{22}{15}$
18) $\frac{32}{35}$
19) $\frac{7}{45}$
20) $\frac{17}{45}$
21) $\frac{58}{63}$
22) $\frac{31}{24}$
23) $\frac{11}{35}$
24) $\frac{1}{36}$
25) $\frac{13}{30}$
26) $\frac{15}{28}$

Multiplicación y División de Fracciones

1) $\frac{3}{5}$

2) $\frac{3}{28}$

3) $\frac{4}{5}$

4) $\frac{2}{5}$

5) $\frac{8}{21}$

6) $\frac{15}{28}$

7) $\frac{14}{15}$

8) $\frac{24}{35}$

9) $\frac{3}{14}$

10) $\frac{4}{33}$

11) $\frac{4}{15}$

12) $\frac{3}{8}$

13) $\frac{8}{21}$

14) $\frac{5}{14}$

15) $\frac{77}{54}$

16) $\frac{1}{10}$

17) $\frac{1}{26}$

18) $\frac{1}{21}$

19) $\frac{3}{20}$

20) $\frac{1}{8}$

21) $\frac{5}{14}$

22) $\frac{4}{55}$

23) $\frac{1}{10}$

24) $\frac{1}{10}$

25) $\frac{2}{65}$

26) $\frac{1}{42}$

Suma de Números Mixtos

1) $3\frac{3}{5}$

2) $6\frac{1}{3}$

3) $5\frac{1}{10}$

4) $5\frac{17}{30}$

5) $3\frac{7}{30}$

6) $4\frac{59}{63}$

7) $5\frac{23}{24}$

8) $5\frac{5}{63}$

9) $3\frac{29}{36}$

10) $6\frac{11}{18}$

11) $4\frac{1}{2}$

12) $5\frac{1}{10}$

13) $5\frac{5}{12}$

14) $6\frac{13}{22}$

15) $5\frac{5}{7}$

16) $5\frac{2}{3}$

17) $5\frac{16}{25}$

18) $5\frac{4}{15}$

19) $8\frac{4}{21}$

20) $5\frac{7}{8}$

21) $4\frac{17}{21}$

22) $5\frac{29}{30}$

23) $4\frac{29}{56}$

24) $5\frac{11}{12}$

25) $3\frac{43}{52}$

26) $5\frac{27}{35}$

Resta de Números Mixtos

1) $3\frac{1}{9}$
2) $3\frac{20}{21}$
3) $2\frac{5}{8}$
4) $4\frac{3}{10}$
5) $2\frac{11}{21}$
6) $1\frac{3}{4}$
7) $1\frac{31}{72}$
8) $2\frac{22}{63}$
9) $1\frac{5}{24}$
10) $2\frac{11}{36}$
11) $4\frac{11}{18}$
12) $1\frac{13}{24}$
13) $1\frac{1}{8}$
14) $2\frac{5}{16}$
15) $2\frac{8}{15}$
16) $1\frac{13}{34}$
17) $3\frac{11}{21}$
18) $1\frac{1}{3}$
19) $2\frac{1}{6}$
20) $2\frac{11}{18}$
21) $4\frac{13}{63}$
22) $1\frac{13}{35}$
23) $4\frac{2}{21}$
24) $2\frac{11}{18}$
25) $2\frac{2}{7}$
26) $4\frac{5}{16}$

Multiplicación de Números Mixtos

1) $1\frac{2}{3}$
2) $11\frac{5}{8}$
3) $4\frac{4}{21}$
4) $10\frac{11}{16}$
5) $8\frac{1}{2}$
6) $23\frac{1}{3}$
7) $20\frac{7}{12}$
8) $22\frac{23}{40}$
9) $17\frac{11}{15}$
10) $12\frac{4}{21}$
11) $23\frac{3}{4}$
12) $14\frac{13}{27}$
13) $18\frac{5}{12}$
14) $36\frac{2}{5}$
15) $17\frac{17}{24}$
16) $14\frac{22}{35}$
17) $18\frac{5}{24}$
18) $16\frac{1}{4}$
19) $30\frac{2}{5}$
20) $11\frac{3}{8}$
21) $21\frac{8}{15}$
22) $13\frac{1}{7}$
23) $18\frac{2}{3}$
24) 30
25) $5\frac{31}{40}$
26) $30\frac{2}{3}$

División de Números Mixtos

1) $1\frac{21}{44}$

2) $1\frac{1}{10}$

3) $2\frac{2}{7}$

4) $1\frac{7}{81}$

5) $1\frac{73}{75}$

6) $\frac{42}{55}$

7) $1\frac{77}{95}$

8) $3\frac{3}{80}$

9) $2\frac{53}{140}$

10) $\frac{2}{3}$

11) $2\frac{88}{105}$

12) $\frac{95}{98}$

13) $1\frac{12}{31}$

14) $1\frac{53}{136}$

15) $2\frac{10}{77}$

16) $\frac{64}{95}$

17) $1\frac{47}{68}$

18) $\frac{55}{64}$

19) $2\frac{13}{21}$

20) $1\frac{19}{32}$

21) $1\frac{31}{84}$

22) $1\frac{3}{14}$

23) $1\frac{1}{4}$

24) 3

25) $2\frac{1}{24}$

26) $\frac{20}{21}$

Capítulo 2: Decimales

Temas de matemáticas que aprenderás en este capítulo:

- ✓ Comparación de Decimales
- ✓ Redondeo de Decimales
- ✓ Suma y Resta de Decimales
- ✓ Multiplicación y División de Decimales

Encuentra más en bit.ly/2WHt2Za

Comparación de Decimales

Compara. Usa >, =, y <

1) 0.44 □ 0.044
2) 0.67 □ 0.68
3) 0.49 □ 0.79
4) 1.35 □ 1.45
5) 1.58 □ 1.75
6) 2.91 □ 2.85
7) 14.56 □ 1.456
8) 17.85 □ 17.89
9) 21.52 □ 21.052
10) 11.12 □ 11.03
11) 9.650 □ 9.65
12) 8.578 □ 8.568
13) 3.15 □ 0.315
14) 16.61 □ 16.16
15) 18.581 □ 8.991
16) 25.05 □ 2.505
17) 4.55 □ 4.65
18) 0.158 □ 1.58
19) 0.881 □ 0.871
20) 0.505 □ 0.510
21) 0.772 □ 0.777
22) 0.5 □ 0.500
23) 16.89 □ 15.89
24) 12.25 □ 12.35
25) 5.82 □ 5.69
26) 1.320 □ 1.032
27) 0.082 □ 0.088
28) 0.99 □ 0.099
29) 2.360 □ 2.840
30) 0.330 □ 0.303
31) 16.44 □ 1.664
32) 0.424 □ 0.442

Encuentra más en bit.ly/3mKEluf

Redondeo de Decimales

Redondea cada número al valor posicional subrayado.

1) 3.960 =
2) 4.372 =
3) 11.13 6 =
4) 17.5 =
5) 1.981 =
6) 14.215 =
7) 17.548 =
8) 25.508 =
9) 31.089 =
10) 69.345 =
11) 9.457 =
12) 12.901 =
13) 2.658 =
14) 32.565 =
15) 6.058 =
16) 98.108 =
17) 27.705 =
18) 36.75 =
19) 9.08 =
20) 7.185 =
21) 22.547 =
22) 66.098 =
23) 87.75 =
24) 18.541 =
25) 10.258 =
26) 13.456 =
27) 71.084 =
28) 29.23 =
29) 43.45 =
30) 81.07 =
31) 92.366 =
32) 24.76 =

Encuentra más en bit.ly/38uyUdx

Suma y Resta de Decimales

Resuelve.

1) $11.62 + 18.23 =$

2) $13.78 + 16.58 =$

3) $56.30 - 45.68 =$

4) $59.36 - 30.88 =$

5) $24.32 + 26.45 =$

6) $36.25 + 18.37 =$

7) $47.85 - 35.12 =$

8) $85.65 - 67.48 =$

9) $25.49 + 34.18 =$

10) $19.99 + 48.66 =$

11) $46.32 - 27.77 =$

12) $54.62 - 48.12 =$

13) $24.42 + 16.54 =$

14) $52.13 + 12.32 =$

15) $82.36 - 78.65 =$

16) $64.12 - 49.15 =$

17) $36.41 + 24.52 =$

18) $85.96 - 74.63 =$

19) $52.62 - 42.54 =$

20) $21.20 + 24.58 =$

21) $32.15 + 17.17 =$

22) $96.32 - 85.54 =$

23) $89.78 - 69.85 =$

24) $29.28 + 39.79 =$

25) $11.11 + 19.99 =$

26) $28.82 + 20.88 =$

27) $63.14 - 28.91 =$

28) $56.61 - 49.72 =$

29) $66.14 + 32.12 =$

30) $30.19 + 25.83 =$

31) $68.21 - 25.10 =$

32) $76.57 - 45.13 =$

Multiplicación y División de Decimales

Resuelve.

1) $12.3 \times 0.2 =$
2) $12.6 \times 0.9 =$
3) $54.4 \div 2 =$
4) $64.8 \div 8 =$
5) $23.1 \times 0.3 =$
6) $1.2 \times 0.7 =$
7) $5.5 \div 0.5 =$
8) $64.8 \div 8 =$
9) $1.4 \times 0.5 =$
10) $4.5 \times 0.3 =$
11) $88.8 \div 4 =$
12) $10.5 \div 5 =$
13) $2.2 \times 0.3 =$
14) $0.2 \times 0.52 =$
15) $95.7 \div 100 =$
16) $36.6 \div 6 =$
17) $3.2 \times 2 =$
18) $4.1 \times 0.5 =$
19) $68.4 \div 2 =$
20) $27.9 \div 9 =$
21) $3.5 \times 4 =$
22) $4.8 \times 0.5 =$
23) $6.4 \div 4 =$
24) $72.8 \div 0.8 =$
25) $1.8 \times 3 =$
26) $6.5 \times 0.2 =$
27) $93.6 \div 3 =$
28) $45.15 \div 0.5 =$
29) $12.6 \times 0.5 =$
30) $13.2 \times 6 =$
31) $6.4 \div 0.8 =$
32) $98.6 \div 0.2 =$

Respuestas – Capítulo 2

Comparación de Decimales

1) $0.44 > 0.044$
2) $0.67 < 0.68$
3) $0.49 < 0.79$
4) $1.35 < 1.45$
5) $1.58 < 1.75$
6) $2.91 > 2.85$
7) $14.56 > 1.456$
8) $17.85 < 17.89$
9) $21.52 > 21.052$
10) $11.12 > 11.03$
11) $9.650 = 9.65$
12) $8.578 > 8.568$
13) $3.15 > 0.315$
14) $16.61 > 16.16$
15) $18.581 > 8.991$
16) $25.05 > 2.505$
17) $4.55 < 4.65$
18) $0.158 < 1.58$
19) $0.881 > 0.871$
20) $0.505 < 0.510$
21) $0.772 < 0.777$
22) $0.5 = 0.500$
23) $16.89 > 15.89$
24) $12.25 < 12.35$
25) $5.82 > 5.69$
26) $1.320 > 1.032$
27) $0.082 < 0.088$
28) $0.99 > 0.099$
29) $2.360 < 2.840$
30) $0.330 > 0.303$
31) $16.44 > 1.664$
32) $0.424 < 0.442$

Redondeo de Decimales

1) $\underline{3}.960 = 4$

2) $4.3\underline{7}2 = 4.37$

3) $11.1\underline{3}6 = 11.14$

4) $1\underline{7}.5 = 18$

5) $1.9\underline{8}1 = 1.98$

6) $14.\underline{2}15 = 14.2$

7) $17.5\underline{4}8 = 17.55$

8) $25.5\underline{0}8 = 25.51$

9) $3\underline{1}.089 = 31$

10) $69.\underline{3}45 = 69.3$

11) $9.4\underline{5}7 = 9.46$

12) $1\underline{2}.901 = 13$

13) $2.6\underline{5}8 = 2.66$

14) $32.\underline{5}65 = 32.6$

15) $6.0\underline{5}8 = 6.06$

16) $98.1\underline{0}8 = 98.11$

17) $27.\underline{7}05 = 27.7$

18) $3\underline{6}.75 = 37$

19) $9.\underline{0}8 = 9.1$

20) $7.\underline{1}85 = 7.2$

21) $22.5\underline{4}7 = 22.55$

22) $66.\underline{0}98 = 66.1$

23) $8\underline{7}.75 = 88$

24) $18.\underline{5}41 = 18.5$

25) $10.2\underline{5}8 = 10.26$

26) $13.\underline{4}56 = 13.5$

27) $71.0\underline{8}4 = 71.08$

28) $2\underline{9}.23 = 29$

29) $43.\underline{4}5 = 43.5$

30) $8\underline{1}.07 = 81$

31) $9\underline{2}.366 = 92$

32) $24.\underline{7}6 = 24.8$

Suma y Resta de Decimales

1) 29.85
2) 30.36
3) 10.62
4) 28.48
5) 50.77
6) 54.62
7) 12.73
8) 18.17
9) 59.67
10) 68.65
11) 18.55
12) 6.5
13) 40.96
14) 64.45
15) 3.71
16) 14.97
17) 60.93
18) 11.33
19) 10.08
20) 45.78
21) 49.32
22) 10.78
23) 19.93
24) 69.07
25) 31.1
26) 49.7
27) 34.23
28) 6.89
29) 98.26
30) 56.02
31) 43.11
32) 31.44

Multiplicación y División de Decimales

1) 2.46
2) 11.34
3) 27.2
4) 8.1
5) 6.93
6) 0.84
7) 11
8) 8.1
9) 0.7
10) 1.35
11) 22.2
12) 2.1
13) 0.66
14) 0.104
15) 0.957
16) 6.1
17) 6.4
18) 2.05
19) 34.2
20) 3.1
21) 14
22) 2.4
23) 1.6
24) 91
25) 5.4
26) 1.3
27) 31.2
28) 90.3
29) 6.3
30) 79.2
31) 8
32) 493

Capítulo 3: Enteros y Orden de Operaciones

Temas de matemáticas que aprenderás en este capítulo:

- ✓ Suma y Resta de Números Enteros
- ✓ Multiplicación y División de Enteros
- ✓ Orden de Operaciones
- ✓ Números Enteros y Valor Absoluto

Suma y Resta de Números Enteros

Resuelve.

1) $-(9) + 15 =$
2) $15 - (-11 - 9) =$
3) $(-10) + (-6) =$
4) $(-10) + (-6) + 7 =$
5) $-(23) + 19 =$
6) $(-7 + 5) - 9 =$
7) $28 + (-32) =$
8) $(-11) + (-9) + 5 =$
9) $25 - (8 - 7) =$
10) $-(29) + 17 =$
11) $(-38) + (-3) + 29 =$
12) $15 - (-7 + 9) =$
13) $24 - (8 - 2) =$
14) $(-7 + 4) - 9 =$
15) $(-17) + (-3) + 9 =$
16) $(-26) + (-7) + 8 =$
17) $(-9) + (-11) =$
18) $8 - (-23 - 13) =$
19) $(-16) + (-2) =$
20) $25 - (7 - 4) =$
21) $23 + (-12) =$
22) $(-18) + (-6) =$
23) $17 - (-21 - 7) =$
24) $-(28) - (-16) + 5 =$
25) $(-9 + 4) - 8 =$
26) $(-28) + (-6) + 17 =$
27) $-(21) - (-15) + 9 =$
28) $(-31) + (-6) =$
29) $(-18) + (-10) + 13 =$
30) $(-30) + (-11) + 12 =$
31) $-(28) - (-10) + 6 =$
32) $6 - (-16 - 11) =$

Encuentra más en bit.ly/3pjQW98

Multiplicación y División de Enteros

Resuelve.

1) $(-6) \times (-7) =$

2) $8 \times (-5) =$

3) $48 \div (-8) =$

4) $(-72) \div 9 =$

5) $(4) \times (-6) =$

6) $(-9) \times (-11) =$

7) $(10) \div (-5) =$

8) $144 \div (-12) =$

9) $(10) \times (-2) =$

10) $(-8) \times (-2) \times 5 =$

11) $(8) \div (-2) =$

12) $45 \div (-15) =$

13) $(5) \times (-7) =$

14) $(-6) \times (-5) \times 4 =$

15) $(12) \div (-6) =$

16) $(14) \div (-7) =$

17) $196 \div (-14) =$

18) $(27 - 13) \times (-2) =$

19) $125 \div (-5) =$

20) $66 \div (-6) =$

21) $(-6) \times (-5) \times 3 =$

22) $(15 - 6) \times (-3) =$

23) $(32 - 24) \div (-4) =$

24) $72 \div (-6) =$

25) $(-14 + 8) \times (-7) =$

26) $(-3) \times (-9) \times 3 =$

27) $84 \div (-12) =$

28) $(-12) \times (-10) =$

29) $22 \times (-3) =$

30) $(-2) \times (-6) \times 5 =$

31) $(24) \div (-3) =$

32) $(-15) \div (3) =$

Encuentra más en

bit.ly/37LBw7X

Orden de Operaciones

Calcula.

1) $16 + (30 \div 5) =$

2) $(3 \times 9) \div (-3) =$

3) $57 - (3 \times 8) =$

4) $(-12) \times (7 - 3) =$

5) $(18 - 7) \times (6) =$

6) $(6 \times 10) \div (12 + 3) =$

7) $(13 \times 2) - (24 \div 6) =$

8) $(-5) + (4 \times 3) + 8 =$

9) $(4 \times 2^3) + (16 - 9) =$

10) $(3^2 \times 7) \div (-2 + 1) =$

11) $[-2(48 \div 2^3)] - 6 =$

12) $(-4) + (7 \times 8) + 18 =$

13) $(3 \times 7) + (16 - 7) =$

14) $[3^3 \times (48 \div 2^3)] \div (-2) =$

15) $(14 \times 3) - (3^4 \div 9) =$

16) $(96 \div 12) \times (-3) =$

17) $(48 \div 2^2) \times (-2) =$

18) $(56 \div 7) \times (-5) =$

19) $(-2^2) + (7 \times 9) - 21 =$

20) $(2^4 - 9) \times (-6) =$

21) $[4^3 \times (50 \div 5^2)] \div (-16) =$

22) $(3^2 \times 4^2) \div (-4 + 2) =$

23) $6^2 - (-6 \times 4) + 3 =$

24) $4^2 - (5^2 \times 3) =$

25) $(-4) + (12^2 \div 3^2) - 7^2 =$

26) $(3^2 \times 5) + (-5^2 - 9) =$

27) $2[(3^2 \times 5) \times (-6)] =$

28) $(11^2 - 2^2) - (-7^2) =$

29) $(2^2 \times 5) - (64 \div 8) =$

30) $2[(3^2 \times 4) + (35 \div 5)] =$

31) $(4^2 \times 3) \div (-6) =$

32) $3^2[(4^3 \div 16) - (3^3 \div 27)] =$

Números Enteros y Valor Absoluto

Calcula.

1) $4-|6-10|=$

2) $|14|-\frac{|-18|}{3}=$

3) $\frac{|8\times-8|}{4}\times\frac{|-20|}{5}=$

4) $|12\times3|+\frac{|-81|}{9}=$

5) $4-|11-18|-|3|=$

6) $|18|-\frac{|-12|}{4}=$

7) $\frac{|5\times-8|}{10}\times\frac{|-22|}{11}=$

8) $|9\times3|+\frac{|-36|}{4}=$

9) $|-42+7|\times\frac{|-2\times5|}{10}=$

10) $6-|17-11|-|5|=$

11) $|13|-\frac{|-54|}{6}=$

12) $\frac{|9\times-4|}{12}\times\frac{|-45|}{9}=$

13) $|-75+50|\times\frac{|-4\times5|}{5}=$

14) $\frac{|-26|}{13}\times\frac{|-32|}{8}=$

15) $14-|8-18|-|-12|=$

16) $|29|-\frac{|-20|}{5}=$

17) $\frac{|3\times8|}{2}\times\frac{|-33|}{3}=$

18) $|-45+15|\times\frac{|-12\times5|}{6}=$

19) $\frac{|-50|}{5}\times\frac{|-77|}{11}=$

20) $12-|2-7|-|15|=$

21) $|18|-\frac{|-45|}{15}=$

22) $\frac{|7\times8|}{4}\times\frac{|-48|}{12}=$

23) $\frac{|30\times2|}{3}\times|-12|=$

24) $\frac{|-36|}{9}\times\frac{|-80|}{8}=$

25) $|-30+9|\times\frac{|-8\times5|}{8}=$

26) $|16|-\frac{|-18|}{3}=$

27) $12-|10-24|+|5|=$

28) $|-38+8|\times\frac{|-5\times6|}{10}=$

Respuestas – Capítulo 3

Suma y Resta de Números Enteros

1) 6	9) 24	17) -20	25) -13
2) 35	10) -12	18) 44	26) -17
3) -16	11) -12	19) -18	27) 3
4) -9	12) 13	20) 22	28) -37
5) -4	13) 18	21) 11	29) -15
6) -11	14) -12	22) -24	30) -29
7) -4	15) -11	23) 45	31) -12
8) -15	16) -25	24) -7	32) 33

Multiplicación y División de Enteros

1) 42	9) -20	17) -14	25) 42
2) -40	10) 80	18) -28	26) 81
3) -6	11) -4	19) -25	27) -7
4) -8	12) -3	20) -11	28) 120
5) -24	13) -35	21) 90	29) -66
6) 99	14) 120	22) -27	30) 60
7) -2	15) -2	23) -2	31) -8
8) -12	16) -2	24) -12	32) -5

Orden de Operación

1) 22	9) 39	17) −24	25) −37
2) −9	10) −63	18) −40	26) 11
3) 33	11) −18	19) 38	27) −540
4) −48	12) 70	20) −42	28) 166
5) 66	13) 30	21) −8	29) 12
6) 4	14) −81	22) −72	30) 86
7) 22	15) 33	23) 63	31) −8
8) 15	16) −24	24) −59	32) 27

Números Enteros y Valor Absoluto

1) 0	8) 36	15) −8	22) 56
2) 8	9) 35	16) 25	23) 240
3) 64	10) −5	17) 132	24) 40
4) 45	11) 4	18) 300	25) 105
5) −6	12) 15	19) 70	26) 10
6) 15	13) 100	20) −8	27) 3
7) 8	14) 8	21) 15	28) 90

Capítulo 4: Razones y Proporciones

Temas de matemáticas que aprenderás en este capítulo:

- ✓ Simplificación de Razones
- ✓ Razones Proporcionales
- ✓ Similitud y Razones
- ✓ Interés Simple

Encuentra más en

bit.ly/3nKwq0Z

Simplificación de Razones

Simplifica cada razón.

1) $3:21 =$ ___:___

2) $4:16 =$ ___:___

3) $\frac{2}{28} = -$

4) $\frac{18}{45} = -$

5) $10:30 =$ ___:___

6) $5:30 =$ ___:___

7) $\frac{34}{38} = -$

8) $\frac{45}{63} = -$

9) $10:45 =$ ___:___

10) $20:30 =$ ___:___

11) $\frac{40}{64} = -$

12) $\frac{10}{110} = -$

13) $8:12 =$ ___:___

14) $16:20 =$ ___:___

15) $\frac{24}{48} = -$

16) $\frac{21}{77} = -$

17) $8:24 =$ ___:___

18) 9 to 36 = ___:___

19) $\frac{64}{72} = -$

20) $\frac{45}{60} = -$

21) $12:15 =$ ___:___

22) $18:54 =$ ___:___

23) $\frac{36}{54} = -$

24) $\frac{48}{104} = -$

25) $12:48 =$ ___:___

26) $18:72 =$ ___:___

27) $\frac{15}{75} = -$

28) $\frac{46}{52} = -$

Encuentra más en bit.ly/37GHQxp

Razones Proporcionales

Resuelve cada proporción de x.

1) $\frac{4}{7} = \frac{8}{x}, x =$ ____

2) $\frac{9}{12} = \frac{x}{8}, x =$ ____

3) $\frac{3}{5} = \frac{12}{x}, x =$ ____

4) $\frac{3}{10} = \frac{x}{50}, x =$ ____

5) $\frac{3}{11} = \frac{15}{x}, x =$ ____

6) $\frac{6}{15} = \frac{x}{45}, x =$ ____

7) $\frac{6}{19} = \frac{12}{x}, x =$ ____

8) $\frac{7}{16} = \frac{x}{32}, x =$ ____

9) $\frac{18}{21} = \frac{54}{x}, x =$ ____

10) $\frac{13}{15} = \frac{39}{x}, x =$ ____

11) $\frac{9}{13} = \frac{72}{x}, x =$ ____

12) $\frac{8}{30} = \frac{x}{180}, x =$ ____

13) $\frac{3}{19} = \frac{9}{x}, x =$ ____

14) $\frac{1}{3} = \frac{x}{90}, x =$ ____

15) $\frac{25}{45} = \frac{x}{9}, x =$ ____

16) $\frac{1}{6} = \frac{9}{x}, x =$ ____

17) $\frac{7}{9} = \frac{63}{x}, x =$ ____

18) $\frac{54}{72} = \frac{x}{8}, x =$ ____

19) $\frac{32}{40} = \frac{4}{x}, x =$ ____

20) $\frac{21}{42} = \frac{x}{6}, x =$ ____

21) $\frac{56}{72} = \frac{7}{x}, x =$ ____

22) $\frac{1}{14} = \frac{x}{42}, x =$ ____

23) $\frac{5}{7} = \frac{75}{x}, x =$ ____

24) $\frac{30}{48} = \frac{x}{8}, x =$ ____

25) $\frac{36}{88} = \frac{9}{x}, x =$ ____

26) $\frac{62}{68} = \frac{x}{34}, x =$ ____

27) $\frac{42}{60} = \frac{x}{10}, x =$ ____

28) $\frac{8}{9} = \frac{x}{108}, x =$ ____

29) $\frac{40}{6} = \frac{x}{3}, x =$ ____

30) $\frac{88}{121} = \frac{x}{11}, x =$ ____

31) $\frac{10}{24} = \frac{x}{48}, x =$ ____

32) $\frac{32}{80} = \frac{x}{10}, x =$ ____

Encuentra más en bit.ly/37GHQxp

Crear Proporción

State if each pair of ratios form a proportion.

1) $\frac{3}{8} y \frac{24}{50}$
2) $\frac{3}{11} y \frac{6}{22}$
3) $\frac{4}{5} y \frac{16}{20}$
4) $\frac{5}{11} y \frac{12}{33}$
5) $\frac{5}{10} y \frac{15}{30}$
6) $\frac{4}{13} y \frac{8}{24}$
7) $\frac{6}{9} y \frac{24}{36}$
8) $\frac{7}{12} y \frac{14}{20}$
9) $\frac{3}{8} y \frac{27}{72}$
10) $\frac{12}{20} y \frac{36}{60}$
11) $\frac{11}{12} y \frac{55}{60}$
12) $\frac{12}{15} y \frac{24}{25}$
13) $\frac{15}{19} y \frac{20}{38}$
14) $\frac{10}{14} y \frac{40}{56}$
15) $\frac{11}{13} y \frac{44}{39}$
16) $\frac{15}{16} y \frac{30}{32}$
17) $\frac{17}{19} y \frac{34}{48}$
18) $\frac{5}{18} y \frac{15}{54}$
19) $\frac{3}{14} y \frac{18}{42}$
20) $\frac{7}{11} y \frac{14}{32}$
21) $\frac{8}{11} y \frac{32}{44}$
22) $\frac{8}{14} y \frac{24}{54}$

Resuelve.

23) La razón de niños a niñas en una clase es 3:4. Si hay 27 niños en la clase, ¿cuántas niñas hay en esa clase? ______

24) La razón de canicas rojas a canicas azules en una bolsa es 5:6. Si hay 66 canicas en la bolsa, ¿cuántas de las canicas son rojas? ________________

25) Puedes comprar 6 latas de judías verdes en un supermercado por $3,60. ¿Cuánto cuesta comprar 48 latas de judías verdes? ________________

Encuentra más en bit.ly/2KKKmcV

Similitud y Razones

Cada par de figuras es similar. Encuentra el lado que falta.

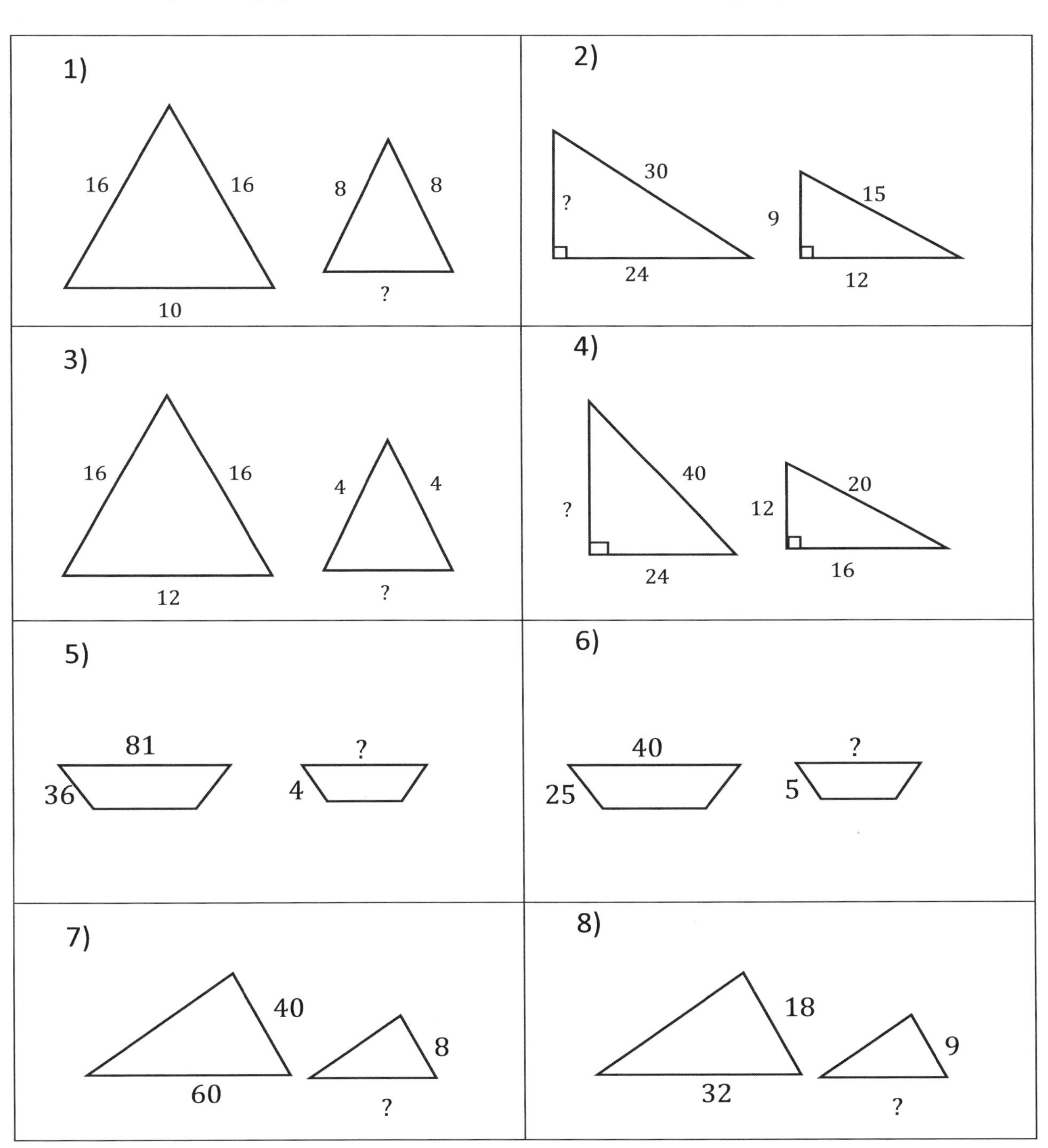

Encuentra más en bit.ly/3nJli3D

Interés Simple

Determinar el interés simple para estos préstamos.

1) $400 al 6% por 4 años. $___
2) $580 al 3.5% por 5 años. $__
3) $320 al 4% por 6 años. $___
4) $510 al 8% por 3 años. $___
5) $690 al 5% por 6 meses. $___
6) $620 al 7% por 3 años. $___
7) $650 al 4.5% por 10 años. $___
8) $850 al 4% por 2 años. $___
9) $640 al 7% por 3 años. $___
10) $300 al 9% por 9 meses. $___
11) $760 al 8% por 2 años. $__
12) $910 al 5% por 5 años. $___
13) $540 al 3% por 6 años. $___
14) $780 al 2.5% por 4 años. $___
15) $1,600 al 7% por 3 meses. $___
16) $310 al 4% por 4 años. $___
17) $950 al 6% por 5 años. $___
18) $280 al 8% por 7 años. $___
19) $310 al 6% por 3 años. $___
20) $990 al 5% por 4 meses. $____
21) $380 al 6% por 5 años. $___
22) $580 al 6% por 4 años. $___
23) $1,200 al 4% por 5 años. $___
24) $3,100 al 5% por 6 años. $___
25) $5,200 al 8% por 2 años. $___
26) $1,400 al 4% por 3 años. $___
27) $300 al 3% por 8 meses. $___
28) $150 al 3.5% por 4 años. $___
29) $170 al 6% por 2 años. $___
30) $940 al 8% por 5 años. $___
31) $960 al 1.5% por 8 años. $__
32) $240 al 5% por 4 meses. $___
33) $280 al 2% por 5 años. $___
34) $880 al 3% por 2 años. $___
35) $2,200 al 4.5% por 2 años. $___
36) $2,400 al 7% por 3 años. $___
37) $1,800 al 5% por 6 meses. $___
38) $190 al 4% por 2 años. $___
39) $480 al 6% por 5 años. $___
40) $700 al 5% por 6 años. $__

Respuestas – Capítulo 4

Simplificación de Razones

1) $1:7$
2) $1:4$
3) $\frac{1}{14}$
4) $\frac{2}{5}$
5) $1:3$
6) $1:6$
7) $\frac{17}{19}$
8) $\frac{5}{7}$
9) $2:9$
10) $2:3$
11) $\frac{5}{8}$
12) $\frac{1}{11}$
13) $2:3$
14) $4:5$
15) $\frac{1}{2}$
16) $\frac{3}{11}$
17) $1:3$
18) 1 a 4
19) $\frac{8}{9}$
20) $\frac{3}{4}$
21) $4:5$
22) $1:3$
23) $\frac{2}{3}$
24) $\frac{6}{13}$
25) $1:4$
26) $1:4$
27) $\frac{1}{5}$
28) $\frac{23}{26}$

Razones Proporcionales

1) $x = 14$
2) $x = 6$
3) $x = 20$
4) $x = 15$
5) $x = 55$
6) $x = 18$
7) $x = 38$
8) $x = 14$
9) $x = 63$
10) $x = 45$
11) $x = 104$
12) $x = 48$
13) $x = 57$
14) $x = 30$
15) $x = 5$
16) $x = 54$
17) $x = 81$
18) $x = 6$
19) $x = 5$
20) $x = 3$
21) $x = 9$
22) $x = 3$
23) $x = 105$
24) $x = 5$
25) $x = 22$
26) $x = 31$
27) $x = 7$
28) $x = 96$
29) $x = 20$
30) $x = 8$
31) $x = 20$
32) $x = 4$

Create Proportion

1) No
2) $Sí$
3) $Sí$
4) No
5) $Sí$
6) No
7) $Sí$
8) No
9) $Sí$
10) $Sí$
11) $Sí$
12) No
13) No
14) $Sí$
15) No
16) $Sí$
17) No
18) $Sí$
19) No
20) No
21) $Sí$
22) No
23) $36\ niñas$
24) $30\ canicas\ rojas$
25) $\$28.80$

Similitud y Razones

1) 5
2) 18
3) 3
4) 32
5) 9
6) 8
7) 12
8) 16

Interés Simple

1) \$96
2) \$101.50
3) \$76.80
4) \$122.40
5) \$17.25
6) \$130.20
7) \$292.50
8) \$68
9) \$134.40
10) \$20.25
11) \$121.60
12) \$227.50
13) \$97.20
14) \$78
15) \$28
16) \$49.60
17) \$285
18) \$156.80
19) \$55.80
20) \$16.5
21) \$114
22) \$139.20
23) \$240
24) \$930
25) \$832
26) \$168
27) \$6
28) \$21
29) \$20.40
30) \$376
31) \$115.20
32) \$4
33) \$28
34) \$52.80
35) \$198
36) \$504
37) \$45
38) \$15.20
39) \$144
40) \$210

Capítulo 5: Porcentaje

Temas de matemáticas que aprenderás en este capítulo:

- ✓ Problemas de Porcentaje
- ✓ Porcentaje de Aumento y Disminución
- ✓ Descuento, Impuestos y Propina

Encuentra más en bit.ly/34Gy3FL

Problemas de Porcentaje

Resuelve cada problema.

1) Cuál es el 4 por ciento de 280? ____
2) Cuál es el 25 por ciento de 500? ___
3) Cuál es el 10 por ciento de 460? ____
4) Cuál es el 34 por ciento de 260? ____
5) Cuál es el 60 por ciento de 850? ____
6) 63 es qué porcentaje de 300? ____%
7) 80 es qué porcentaje de 400? ____%
8) 70 es qué porcentaje de 700? ____%
9) 84 es qué porcentaje de 600? ___%
10) 90 es qué porcentaje de 300? ___%
11) 24 es qué porcentaje de 150? ___%
12) 12 es qué porcentaje de 80? ___%
13) 4 es qué porcentaje de 50? ___%
14) 110 es qué porcentaje de 500? _%
15) 16 es qué porcentaje de 400? __%
16) 39 es qué porcentaje de 300? ___%
17) 56 es qué porcentaje de 200? ___%
18) 30 es qué porcentaje de 500? ___%
19) 84 es qué porcentaje de 700? ___%
20) 40 es qué porcentaje de 500? __%
21) 26 es qué porcentaje de 100? __ %
22) 45 es qué porcentaje de 900? __%
23) 60 es qué porcentaje de 400? ___%
24) 18 es qué porcentaje de 900? ___%
25) 75 es qué porcentaje de 250? ___%
26) 27 es qué porcentaje de 900? ___%
27) 49 es qué porcentaje de 700? ___%
28) 81 es qué porcentaje de 900? ___%
29) 90 es qué porcentaje de 500? ___%
30) 82 es qué porcentaje de 410? ___%

31) 14 es el 35 por ciento de qué número? ____
32) 90 es el 6 por ciento de qué número? ____
33) 80 es el 40 por ciento de qué número? ____
34) 80 es el 20 por ciento de qué número? ____
35) 30 es el 6 por ciento de qué número? ____
36) 64 es el 8 por ciento de qué número? ____

Porcentaje de Aumento y Disminución

Resolver cada porcentaje de problema verbal de cambio.

1) Bob obtuvo un aumento y su salario por hora aumentó de $30 a $42. ¿Cuál es el porcentaje de aumento? _____ %
2) El precio de la gasolina subió de $4,40 a $4,62 en un mes. ¿En qué porcentaje subió el precio de la gasolina? _____ %
3) En una clase, el número de estudiantes aumentó de 25 a 32. ¿Cuál es el porcentaje de aumento? _____ %
4) El precio de un par de zapatos aumenta de $24 a $30. ¿Cuál es el porcentaje de aumento? ___ %
5) En una clase, el número de estudiantes se redujo de 24 a 18. ¿Cuál es el porcentaje de disminución? _____ %
6) Nick obtuvo un aumento y su salario por hora aumentó de $50 a $55. ¿Cuál es el porcentaje de aumento? _____ %
7) Un abrigo tenía un precio original de $60. Salió a la venta por $ 54. ¿Cuál fue el porcentaje de descuento del abrigo? _____ %
8) El precio de un par de zapatos aumenta de $12 a $18. ¿Cuál es el porcentaje de aumento? ___ %
9) Se compró una casa en 2002 por $150,000. Ahora está valorado en $ 132,000. ¿Cuál es la tasa (porcentaje) de depreciación de la casa?____ %
10) El precio de la gasolina subió de $4.00 a $4.20 en un mes. ¿En qué porcentaje subió el precio de la gasolina? _____ %

Descuento, Impuestos y Propina

Encuentra los valores que faltan.

1) Precio original de una computadora: $540, Impuesto: 6%, Precio de venta: $_______
2) Precio original de un sofá: $400, Impuesto: 14%, Precio de venta: $_______
3) Precio original de una mesa: $560, Impuesto: 15%, Precio de venta: $_______
4) Precio original de un celular: $740, Impuesto: 24%, Precio de venta: $_______
5) Precio original de una impresora: $400, Impuesto: 22%, Precio de venta: $_______
6) Precio original de una computadora: $600, Impuesto: 15%, Precio de venta: $_______
7) Factura del restaurante: $24.00, Propina: 25%, Monto final: $_______
8) Precio original de un celular: $300 Impuesto: 8% Precio de venta: $_______
9) Precio original de una alfombra: $800, Impuesto: 25%, Precio de venta: $_______
10) Precio original de una cámara: $200 Descuento: 35% Precio de venta: $_______
11) Precio original de un vestido: $560 Descuento: 10% Precio de venta: $____
12) Precio original de un monitor: $420 Descuento: 6% Precio de venta: $_____
13) Precio original de una laptop: $880 Descuento: 16%, Precio de venta: $_____
14) Factura del restaurante: $64.00, Propina: 20%, Monto final: $____

Respuestas – Capítulo 5

Problemas de Porcentaje

1) 11.2
2) 125
3) 46
4) 88.4
5) 510
6) 21%
7) 20%
8) 10%
9) 14%
10) 30%
11) 16%
12) 15%
13) 8%
14) 22%
15) 4%
16) 13%
17) 28%
18) 6%
19) 12%
20) 8%
21) 26%
22) 5%
23) 15%
24) 2%
25) 30%
26) 3%
27) 7%
28) 9%
29) 18%
30) 20%
31) 40
32) 1,500
33) 200
34) 400
35) 500
36) 800

Porcentaje de Aumento y Disminución

1) 40%
2) 5%
3) 28%
4) 25%
5) 25%
6) 10%
7) 10%
8) 50%
9) 12%
10) 5%

Descuento, Impuestos y Propina

1) $572.40	6) $690	11) $504
2) $456	7) $30.00	12) $394.8
3) $644	8) $324	13) $739.2
4) $917.60	9) $1,000	14) $76.80
5) $488	10) $130	

Capítulo 6: Expresiones y Variables

Temas de matemáticas que aprenderás en este capítulo:

- ✓ Simplificación de Expresiones Variables
- ✓ Simplificar Expresiones Polinómicas
- ✓ Evaluación de una Variable
- ✓ Evaluación de dos Variables
- ✓ La Propiedad Distributiva

Encuentra más en bit.ly/2WFVudQ

Simplificación de Expresiones Variables

Simplifica y escribe la respuesta.

1) $6x + 2 + 3x =$

2) $7x + 4 - 6x =$

3) $-1 - x^2 - 9x^2 =$

4) $(-5)(6x - 2) =$

5) $3 + 10x^2 + 2x =$

6) $8x^2 + 6x + 7x^2 =$

7) $2x^2 - 5x - 7x =$

8) $x - 3 + 5 - 3x =$

9) $2 - 3x + 12 - 2x =$

10) $5x^2 - 12x^2 + 8x =$

11) $2x^2 + 6x + 3x^2 =$

12) $2x^2 - 2x - x =$

13) $2x^2 - (-8x + 6) =$

14) $4x + 6(2 - 5x) =$

15) $10x + 8(10x - 6) =$

16) $9(-2x - 6) - 5 =$

17) $32x - 4 + 23 + 2x =$

18) $8x - 12x - x^2 + 13 =$

19) $(-6)(8x - 4) + 10x =$

20) $14x - 5(5 - 8x) =$

21) $23x + 4(9x + 3) + 12 =$

22) $3(-7x + 5) + 20x =$

23) $12x - 3x(x + 9) =$

24) $7x + 5x(3 - 3x) =$

25) $5x(-8x + 12) + 14x =$

26) $40x + 12 + 2x^2 =$

27) $5x(x - 3) - 10 =$

28) $8x - 7 + 8x + 2x^2 =$

29) $6x - 2x^2 - 6x^2 - 5 =$

30) $3 + x^2 - 4x^2 - 10x =$

31) $10x + 6x^2 + 5x + 18 =$

32) $20 + 12x^2 + 7x - 6x^2 =$

Encuentra más en
bit.ly/2WT5gtn

Simplificación de Expresiones Polinómicas

Simplifica y escribe la respuesta.

1) $(3x^3 + 4x^2) - (10x + 3x^2) =$ ____________

2) $(-4x^5 + 4x^3) - (6x^3 + 5x^2) =$ ____________

3) $(10x^4 + 6x^2) - (x^2 - 8x^4) =$ ____________

4) $6x - 2x^2 - 3(2x^2 + 5x^3) =$ ____________

5) $(2x^3 - 3) + 3(2x^2 - 3x^3) =$ ____________

6) $4(4x^3 - 2x) - (3x^3 - 2x^4) =$ ____________

7) $2(4x - 3x^3) - 3(3x^3 + 4x^2) =$ ____________

8) $(2x^2 - 2x) - (2x^3 + 5x^2) =$ ____________

9) $2x^3 - (4x^4 + 2x) + x^2 =$ ____________

10) $x^4 - 9(x^2 + x) - 5x =$ ____________

11) $(-2x^2 - x^4) + (4x^4 - x^2) =$ ____________

12) $4x^2 - 5x^3 + 15x^4 - 12x^3 =$ ____________

13) $3x^2 - 2x^4 + 12x^4 - 10x^3 =$ ____________

14) $4x^2 + 6x^3 - 8x^2 + 14x =$ ____________

15) $3x^4 - 6x^5 + 7x^4 - 9x^2 =$ ____________

16) $5x^3 + 15x - 4x^2 - 3x^3 =$ ____________

Encuentra más en
bit.ly/3ppujQZ

Evaluación de una Variable

Evalúa cada expresión usando el valor dado.

1) $x = 2 \Rightarrow 5x - 10 =$

2) $x = 3 \Rightarrow 6x - 12 =$

3) $x = 4 \Rightarrow 6x + 8 =$

4) $x = 6 \Rightarrow 2x + 4 =$

5) $x = 4 \Rightarrow 4x - 8 =$

6) $x = 2 \Rightarrow 5x - 2x + 10 =$

7) $x = 3 \Rightarrow 2x - x - 6 =$

8) $x = 4 \Rightarrow 6x - 3x + 4 =$

9) $x = -2 \Rightarrow 4x - 6x - 5 =$

10) $x = -1 \Rightarrow 3x - 5x + 11 =$

11) $x = 1 \Rightarrow x - 7x + 12 =$

12) $x = 2 \Rightarrow 2(-3x + 4) =$

13) $x = 3 \Rightarrow 4(-5x - 2) =$

14) $x = 2 \Rightarrow 5(-2x - 4) =$

15) $x = -2 \Rightarrow 3(-4x - 5) =$

16) $x = 3 \Rightarrow 8x + 5 =$

17) $x = -3 \Rightarrow 12x + 9 =$

18) $x = -1 \Rightarrow 9x - 8 =$

19) $x = 2 \Rightarrow 16x - 10 =$

20) $x = 1 \Rightarrow 4x + 3 =$

21) $x = 5 \Rightarrow 7x - 2 =$

22) $x = 7 \Rightarrow 28 - x =$

23) $x = 8 \Rightarrow 4x - 12 =$

24) $x = 10 \Rightarrow 44 - 3x =$

25) $x = 4 \Rightarrow 10x - 6 =$

26) $x = 7 \Rightarrow 6x - x + 9 =$

Encuentra más en bit.ly/2JfrzWJ

Evaluación de dos variables

Evalúa cada expresión usando los valores dados.

1) $x + 4y, x = 3, y = 2$ _____

2) $6x + 3y, x = -2, y = -3$ _____

3) $x + 5y, x = 2, y = -1$ _____

4) $3a - (10 - b), a = 3, b = 4$ _____

5) $4a - (6 - 3b), a = 1, b = 4$ _____

6) $a - (8 - 2b), a = 2, b = 5$ _____

7) $3z + 21 + 5k, z = 4, k = 1$ _____

8) $-7a + 4b, a = 6, b = 3$ _____

9) $-4a + 3b, a = 2, b = 4$ _____

10) $-6a + 6b, a = 4, b = 3$ _____

11) $-8a + 2b, a = 4, b = 6$ _____

12) $4x + 6y, x = 6, y = 3$ _____

13) $2x + 9y, x = 8, y = 1$ _____

14) $x - 7y, x = 9, y = 4$ _____

15) $5x - 4y, x = 6, y = 3$ _____

16) $2z + 14 + 8k, z = 4, k = 1$ _____

17) $6x + 3y, x = 3, y = 8$ _____

18) $5a - 6b, a = -3, b = -1$ _____

19) $6a + 2b, a = -6, b = 4$ _____

20) $-3a - b, a = 5, b = -6$ _____

21) $-6a + 2b, a = 6, b = -3$ _____

22) $-6a + 8b, a = 6, b = -1$ _____

La Propiedad Distributiva

Usa la propiedad distributiva para simplificar cada expresión.

1) $(-2)(10x+3) =$

2) $(-3x+5)(-5) =$

3) $11(-3x+3) =$

4) $6(5-4x) =$

5) $(6-5x)(-4) =$

6) $9(8-2x) =$

7) $(-4x+6)5 =$

8) $(-2x+7)(-8) =$

9) $8(-4x+7) =$

10) $(-9x+5)(-3) =$

11) $8(-x+9) =$

12) $7(2-6x) =$

13) $(-12x+4)(-3) =$

14) $(-6)(-10x+6) =$

15) $(-5)(5-11x) =$

16) $9(4-8x) =$

17) $(-6x+2)7 =$

18) $(-9)(1-12x) =$

19) $(-3)(4-6x) =$

20) $(2-8x)(-2) =$

21) $20(2-x) =$

22) $12(-4x+3) =$

23) $12(3-4x) =$

24) $(-6x+6)3 =$

25) $(-10x+6)(-3) =$

26) $13(4-7x) =$

Respuestas – Capítulo 6

Simplificación de expresiones variables

1) $9x + 2$
2) $x + 4$
3) $-10x^2 - 1$
4) $-30x + 10$
5) $10x^2 + 2x + 3$
6) $15x^2 + 6x$
7) $2x^2 - 12x$
8) $-2x + 2$
9) $-5x + 14$
10) $-7x^2 + 8x$
11) $5x^2 + 6x$
12) $2x^2 - 3x$
13) $2x^2 + 8x - 6$
14) $-26x + 12$
15) $90x - 48$
16) $-18x - 59$
17) $34x + 19$
18) $-x^2 - 4x + 13$
19) $-38x + 24$
20) $54x - 25$
21) $59x + 24$
22) $-x + 15$
23) $-3x^2 - 15x$
24) $-15x^2 + 22x$
25) $-40x^2 + 74x$
26) $2x^2 + 40x + 12$
27) $5x^2 - 15x - 10$
28) $2x^2 + 16x - 7$
29) $-8x^2 + 6x - 5$
30) $-3x^2 - 10x + 3$
31) $6x^2 + 15x + 18$
32) $6x^2 + 7x + 20$

Simplificación de Expresiones Polinómicas

1) $3x^3 + x^2 - 10x$
2) $-4x^5 - 2x^3 - 5x^2$
3) $18x^4 + 5x^2$
4) $-15x^3 - 8x^2 + 6x$
5) $-7x^3 + 6x^2 - 3$
6) $2x^4 + 13x^3 - 8x$
7) $-15x^3 - 12x^2 + 8x$
8) $-2x^3 - 3x^2 - 2x$
9) $-4x^4 + 2x^3 + x^2 - 2x$
10) $x^4 - 9x^2 - 14x$
11) $3x^4 - 3x^2$
12) $15x^4 - 17x^3 + 4x^2$
13) $10x^4 - 10x^3 + 3x^2$
14) $6x^3 - 4x^2 + 14x$
15) $-6x^5 + 10x^4 - 9x^2$
16) $2x^3 - 4x^2 + 15x$

Evaluación de una Variable

1) 0
2) 6
3) 32
4) 16
5) 8
6) 16
7) -3
8) 16
9) -1
10) 13
11) 6
12) -4
13) -68
14) -40
15) 9
16) 29
17) -27
18) -17
19) 22
20) 7
21) 33
22) 21
23) 20
24) 14
25) 34
26) 44

Evaluación de dos Variables

1) 11
2) -21
3) -3
4) 3
5) 10
6) 4
7) 38
8) -30
9) 4
10) -6
11) -20
12) 42
13) 25
14) -19
15) 18
16) 30
17) 42
18) -9
19) -28
20) -9
21) -42
22) -44

La Propiedad Distributiva

1) $-20x - 6$
2) $15x - 25$
3) $-33x + 33$
4) $-24x + 30$
5) $20x - 24$
6) $-18x + 72$
7) $-20x + 30$
8) $16x - 56$
9) $-32x + 56$
10) $27x - 15$
11) $-8x + 72$
12) $-42x + 14$
13) $36x - 12$
14) $60x - 36$
15) $55x - 25$
16) $-72x + 36$
17) $-42x + 14$
18) $108x - 9$
19) $18x - 12$
20) $16x - 4$
21) $-20x + 40$
22) $-48x + 36$
23) $-48x + 36$
24) $-18x + 18$
25) $30x - 18$
26) $-91x + 52$

Capítulo 7: Ecuaciones y Desigualdades

Temas de matemáticas que aprenderás en este capítulo:

- ✓ Ecuaciones de un Paso
- ✓ Ecuaciones de Varios Pasos
- ✓ Sistema de Ecuaciones
- ✓ Graficación de Desigualdades de una Sola Variable
- ✓ Desigualdades de un Paso
- ✓ Desigualdades de Varios Pasos

Encuentra más en bit.ly/37Jq0tK

Ecuaciones de un paso

Resuelva cada ecuación para x.

1) $x - 18 = 28 \Rightarrow x =$ ____

2) $19 = -5 + x \Rightarrow x =$ ____

3) $15 - x = 6 \Rightarrow x =$ ____

4) $x - 24 = 29 \Rightarrow x =$ ____

5) $24 - x = 17 \Rightarrow x =$ ____

6) $16 - x = 3 \Rightarrow x =$ ____

7) $x + 14 = 12 \Rightarrow x =$ ____

8) $26 + x = 8 \Rightarrow x =$ ____

9) $x + 9 = -18 \Rightarrow x =$ ____

10) $x + 21 = 11 \Rightarrow x =$ ____

11) $17 = -5 + x \Rightarrow x =$ ____

12) $x + 20 = 29 \Rightarrow x =$ ____

13) $x - 13 = 19 \Rightarrow x =$ ____

14) $x + 9 = -17 \Rightarrow x =$ ____

15) $x + 4 = -23 \Rightarrow x =$ ____

16) $16 = -9 + x \Rightarrow x =$ ____

17) $4x = 28 \Rightarrow x =$ ____

18) $21 = -7x \Rightarrow x =$ ____

19) $12x = -12 \Rightarrow x =$ ____

20) $13x = 39 \Rightarrow x =$ ____

21) $8x = -16 \Rightarrow x =$ ____

22) $\frac{x}{2} = -5 \Rightarrow x =$ ____

23) $\frac{x}{9} = 6 \Rightarrow x =$ ____

24) $27 = \frac{x}{5} \Rightarrow x =$ ____

25) $\frac{x}{4} = -3 \Rightarrow x =$ ____

26) $x \div 8 = 7 \Rightarrow x =$ ____

27) $x \div 2 = -3 \Rightarrow x =$ ____

28) $8x = 56 \Rightarrow x =$ ____

29) $9x = 54 \Rightarrow x =$ ____

30) $7x = -35 \Rightarrow x =$ ____

31) $60 = -10x \Rightarrow x =$ ____

Encuentra más en

bit.ly/3nQbSEB

Ecuaciones de Varios Pasos

Resuelve cada ecuación.

1) $4x - 7 = 13 \Rightarrow x =$ ____

2) $26 = -(x - 4) \Rightarrow x =$ ____

3) $-(5 - x) = 19 \Rightarrow x =$ ____

4) $35 = -x + 14 \Rightarrow x =$ ____

5) $2(3 - 2x) = 10 \Rightarrow x =$ ____

6) $3x - 3 = 15 \Rightarrow x =$ ____

7) $32 = -x + 15 \Rightarrow x =$ ____

8) $-(10 - x) = -13 \Rightarrow x =$ ____

9) $-4(7 + x) = 4 \Rightarrow x =$ ____

10) $22 = 2x - 8 \Rightarrow x =$ ____

11) $-6(3 + x) = 6 \Rightarrow x =$ ____

12) $-3 = 3x - 15 \Rightarrow x =$ ____

13) $-7(12 + x) = 7 \Rightarrow x =$ ____

14) $8(6 - 4x) = 16 \Rightarrow x =$ ____

15) $18 - 4x = -9 - x \Rightarrow x =$ ____

16) $6(4 - x) = 30 \Rightarrow x =$ ____

17) $15 - 3x = -5 - x \Rightarrow x =$ ____

18) $9(-7 - 3x) = 18 \Rightarrow x =$ ____

19) $16 - 2x = -4 - 7x \Rightarrow x =$ ____

20) $14 - 2x = 14 + x \Rightarrow x =$ ____

21) $21 - 3x = -7 - 10x \Rightarrow x =$ __

22) $8 - 2x = 11 + x \Rightarrow x =$ ____

23) $10 + 12x = -8 + 6x \Rightarrow x =$ ___

24) $25 + 20x = -5 + 5x \Rightarrow x =$ ____

25) $16 - x = -8 - 7x \Rightarrow x =$ ____

26) $17 - 3x = 13 + x \Rightarrow x =$ ____

27) $22 + 5x = -8 - x \Rightarrow x =$ ____

28) $-9(7 + x) = 9 \Rightarrow x =$ ____

29) $12 + 2x = -4 - 2x \Rightarrow x =$ ____

30) $12 - x = 2 - 3x \Rightarrow x =$ ____

31) $19 - x = -1 - 11x \Rightarrow x =$ ____

32) $14 - 3x = -5 - 4x \Rightarrow x =$ ____

Encuentra más en
bit.ly/3mPGO6k

Sistema de Ecuaciones

Resuelve cada sistema de ecuaciones.

1) $2x + 3y = 15$ $\quad x =$
$x - 3y = 3$ $\quad y =$

2) $y = x + 3$ $\quad x =$
$x + y = -5$ $\quad y =$

3) $x + 3y = 6$ $\quad x =$
$2x + 8y = -12$ $\quad y =$

4) $2x + y = 5$ $\quad x =$
$-3x + 6y = 0$ $\quad y =$

5) $10x - 8y = -15$ $\quad x =$
$-6x + 4y = 13$ $\quad y =$

6) $-3x - 4y = 5$ $\quad x =$
$x - 2y = 5$ $\quad y =$

7) $5x - 12y = -19$ $\quad x =$
$-6x + 7y = 8$ $\quad y =$

8) $5x - 7y = -2$ $\quad x =$
$-x - 2y = -3$ $\quad y =$

9) $-x + 3y = 3$ $\quad x =$
$-7x + 8y = -5$ $\quad y =$

10) $-4x + 3y = -18$ $\quad x =$
$4x - y = 14$ $\quad y =$

11) $6x - 7y = -8$ $\quad x =$
$-x - 4y = -9$ $\quad y =$

12) $-3x + 2y = -16$ $\quad x =$
$4x - y = 13$ $\quad y =$

13) $2x + 3y = 8$ $\quad x =$
$-3x + 2y = 1$ $\quad y =$

14) $y = -x + 3$ $\quad x =$
$3y + 5x = -1$ $\quad y =$

15) $2x + 3y = 12$ $\quad x =$
$x + y = 5$ $\quad y =$

16) $y = x - 1$ $\quad x =$
$y = 2x + 2$ $\quad y =$

Encuentra más en bit.ly/3aJ4GGo

Graficación de Desigualdades de una Sola Variable

Grafica cada desigualdad.

1) $x < 5$

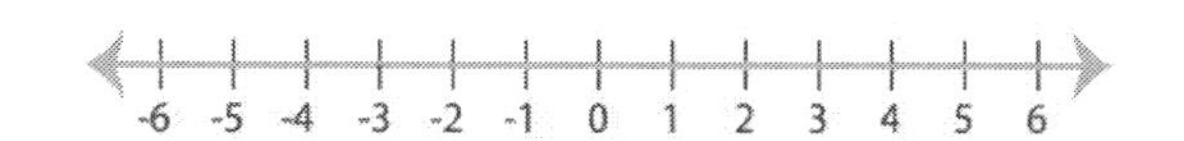

2) $x \geq 2$

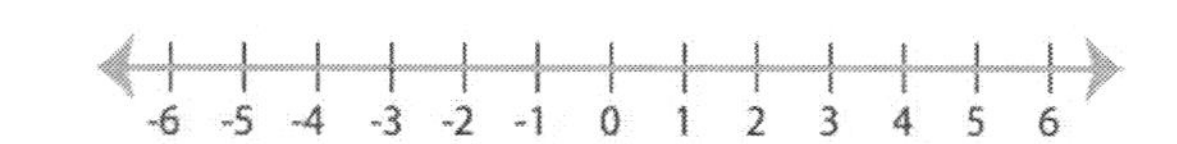

3) $x \geq -4$

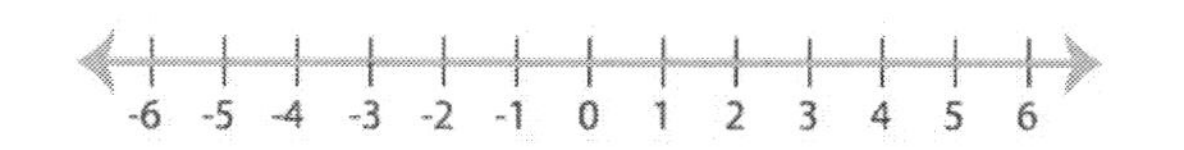

4) $x \leq -1$

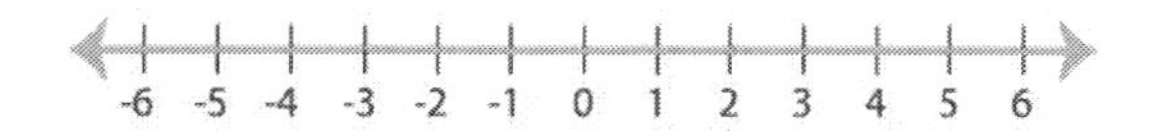

5) $x > -1$

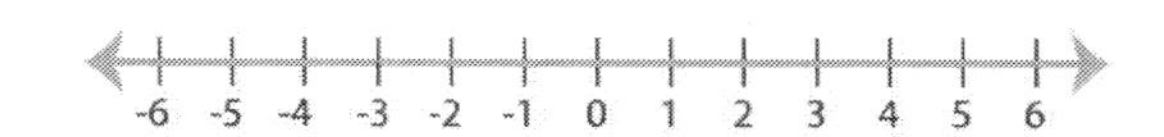

6) $3 > x$

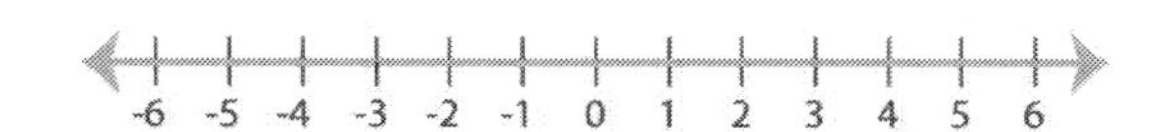

7) $2 \leq x$

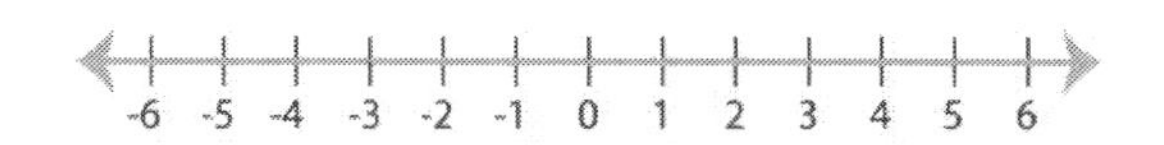

8) $x > 0$

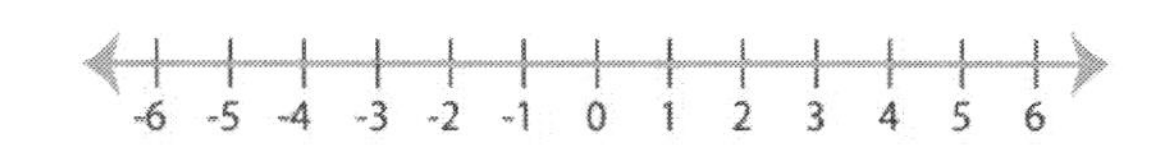

9) $-3 \leq x$

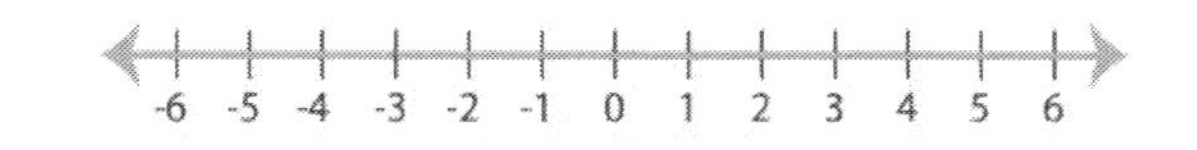

10) $-4 \leq x$

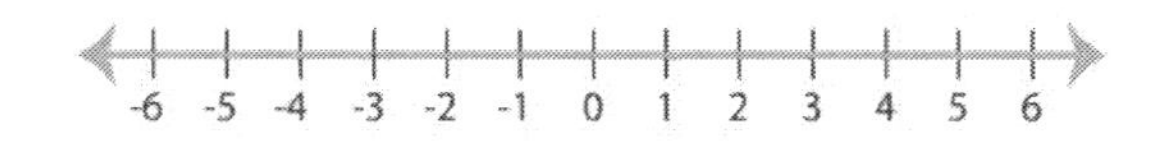

11) $x \leq 6$

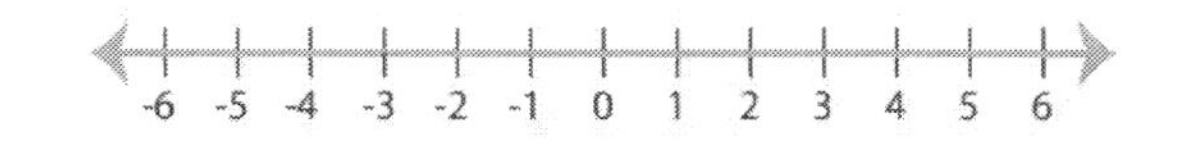

12) $1 \leq x$

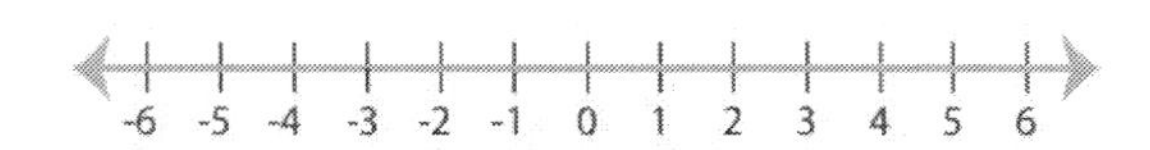

13) $-4 < x$

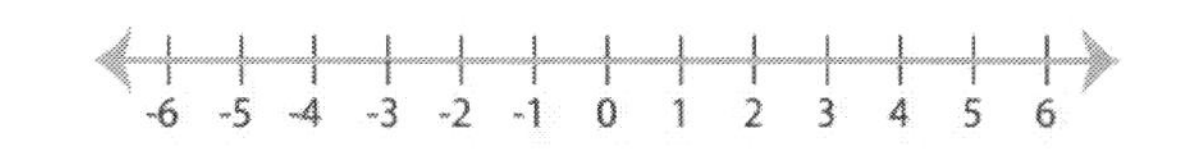

14) $x > -5$

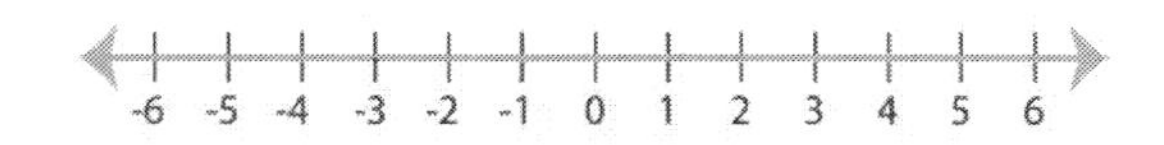

Encuentra más en

bit.ly/3rrElgL

Desigualdades de un Paso

Resuelve cada desigualdad para x.

1) $x - 9 < 20 \Rightarrow$ ______

2) $14 \leq -6 + x \Rightarrow$ ______

3) $x - 31 > 9 \Rightarrow$ ______

4) $x + 28 \geq 36 \Rightarrow$ ______

5) $x - 24 > 17 \Rightarrow$ ______

6) $x + 5 \geq 3 \Rightarrow x$______

7) $x + 14 < 12 \Rightarrow$ ______

8) $26 + x \leq 8 \Rightarrow$ ______

9) $x + 9 \geq -18 \Rightarrow$ ______

10) $x + 24 < 11 \Rightarrow$ ______

11) $17 \leq -5 + x \Rightarrow$ ______

12) $x + 25 > 29 \Rightarrow x$______

13) $x - 17 \geq 19 \Rightarrow$ ______

14) $x + 8 > -17 \Rightarrow$ ______

15) $x + 8 < -23 \Rightarrow$ ______

16) $16 \leq -5 + x \Rightarrow$ ______

17) $4x \leq 12 \Rightarrow$ ______

18) $28 \geq -7x \Rightarrow$ ______

19) $2x > -14 \Rightarrow$ ______

20) $13x \leq 39 \Rightarrow$ ______

21) $-8x > -16 \Rightarrow$ ______

22) $\frac{x}{2} < -6 \Rightarrow$ ______

23) $\frac{x}{6} > 6 \Rightarrow$ ______

24) $27 \leq \frac{x}{4} \Rightarrow$ ______

25) $\frac{x}{8} < -3 \Rightarrow$ ______

26) $6x \geq 18 \Rightarrow$ ______

27) $5x \geq -25 \Rightarrow$ ______

28) $3x > 45 \Rightarrow$ ______

29) $9x \leq 72 \Rightarrow$ ______

30) $-6x < -36 \Rightarrow$ ______

31) $70 > -10x \Rightarrow$ ______

Encuentra más en

bit.ly/2WK1xOr

Desigualdades de varios Pasos

Resuelve cada desigualdad.

1) $2x - 6 \leq 4 \rightarrow$ ______

2) $2 + 3x \geq 17 \rightarrow$ ______

3) $9 + 3x \geq 36 \rightarrow$ ______

4) $2x - 6 \leq 18 \rightarrow$ ______

5) $3x - 4 \leq 23 \rightarrow$ ______

6) $7x - 5 \leq 51 \rightarrow$ ______

7) $4x - 9 \leq 27 \rightarrow$ ______

8) $6x - 11 \leq 13 \rightarrow$ ______

9) $5x - 7 \leq 33 \rightarrow$ ______

10) $6 + 2x \geq 28 \rightarrow$ ______

11) $8 + 3x \geq 35 \rightarrow$ ______

12) $4 + 6x < 34 \rightarrow$ ______

13) $3 + 2x \geq 53 \rightarrow$ ______

14) $7 - 6x > 56 + x \rightarrow$ ______

15) $9 + 4x \geq 39 + 2x \rightarrow$ ______

16) $3 + 5x \geq 43 \rightarrow$ ______

17) $4 - 7x < 60 \rightarrow$ ______

18) $11 - 4x \geq 55 \rightarrow$ ______

19) $12 + x \geq 48 - 2x \rightarrow$ ______

20) $10 - 10x \leq -20 \rightarrow$ ______

21) $5 - 9x \geq -40 \rightarrow$ ______

22) $8 - 7x \geq 36 \rightarrow$ ______

23) $6 + 10x < 69 + 3x \rightarrow$ ______

24) $5 + 4x < 26 - 3x \rightarrow$ ______

25) $10 + 11x < 59 + 4x \rightarrow$ _____

26) $3 + 9x \geq 48 - 6x \rightarrow$ ______

Respuestas – Capítulo 7

Ecuaciones de un Paso

1) $x = 46$
2) $x = 24$
3) $x = 9$
4) $x = 53$
5) $x = 7$
6) $x = 13$
7) $x = -2$
8) $x = -18$
9) $x = -27$
10) $x = -10$
11) $x = 22$
12) $x = 9$
13) $x = 32$
14) $x = -26$
15) $x = -27$
16) $x = 25$
17) $x = 7$
18) $x = -3$
19) $x = -1$
20) $x = 3$
21) $x = -2$
22) $x = -10$
23) $x = 54$
24) $x = 135$
25) $x = -12$
26) $x = 56$
27) $x = -6$
28) $x = 7$
29) $x = 6$
30) $x = -5$
31) $x = -6$

Ecuaciones de Varios Pasos

1) $x = 5$
2) $x = -22$
3) $x = 24$
4) $x = -21$
5) $x = -1$
6) $x = 6$
7) $x = -17$
8) $x = -3$
9) $x = -8$
10) $x = 15$
11) $x = -4$
12) $x = 4$
13) $x = -13$
14) $x = 1$
15) $x = 9$
16) $x = -1$
17) $x = 10$
18) $x = -3$
19) $x = -4$
20) $x = 0$
21) $x = -4$
22) $x = -1$
23) $x = -3$
24) $x = -2$
25) $x = -4$
26) $x = 1$
27) $x = -5$
28) $x = -8$
29) $x = -4$
30) $x = -5$
31) $x = -2$
32) $x = -19$

Sistema de Ecuaciones

1) $x = 6, y = 1$
2) $x = -4 , y = -1$
3) $x = 42, y = -12$
4) $x = 2 ,y = 1$
5) $x = -\frac{11}{2} , y = -5$
6) $x = 1 , y = -2$
7) $x = 1 , y = 2$
8) $x = 1 , y = 1$
9) $x = 3 , y = 2$
10) $x = 3 , y = -2$
11) $x = 1, y = 2$
12) $x = 2, y = -5$
13) $x = 1, y = 2$
14) $x = -5, y = 8$
15) $x = 3, y = 2$
16) $x = -3 , y = -4$

Graficación de Desigualdades de una Sola Variable

1) $x < 5$

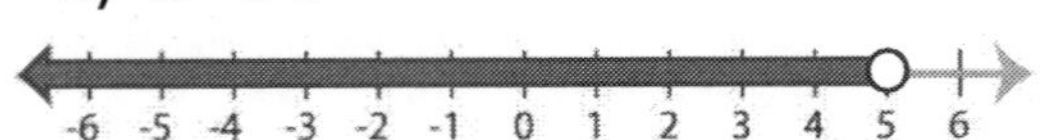

2) $x \geq 2$

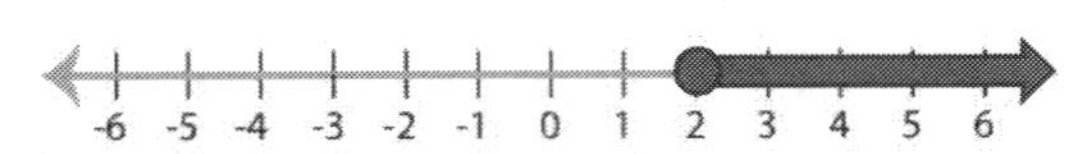

3) $x \geq -4$

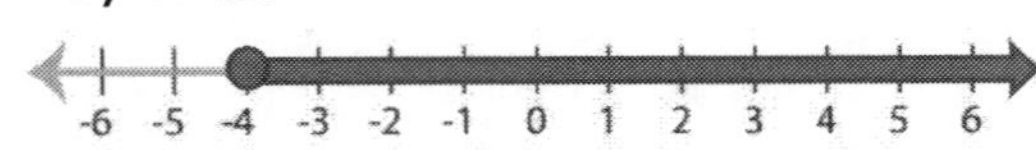

4) $x \leq -1$

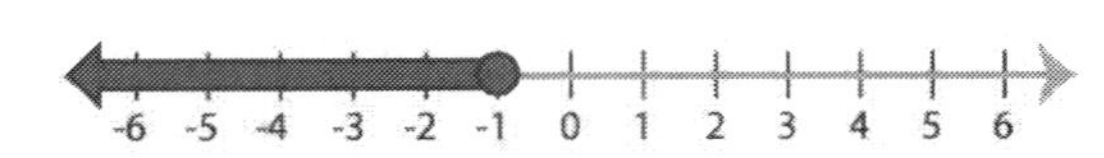

5) $x > -1$

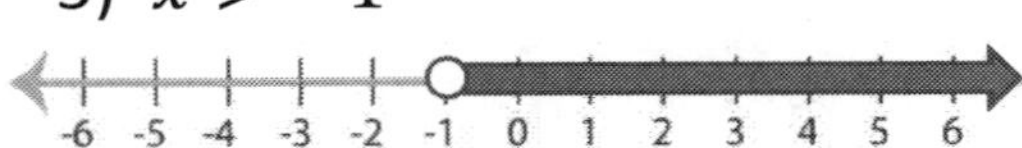

6) $3 > x$

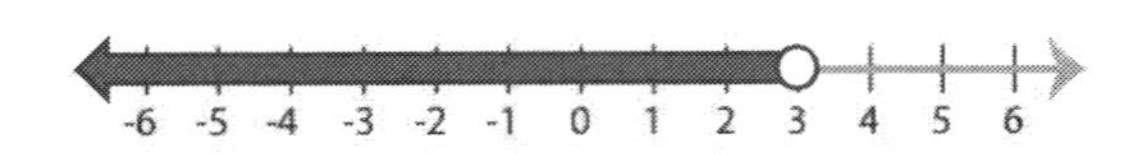

7) $2 \leq x$

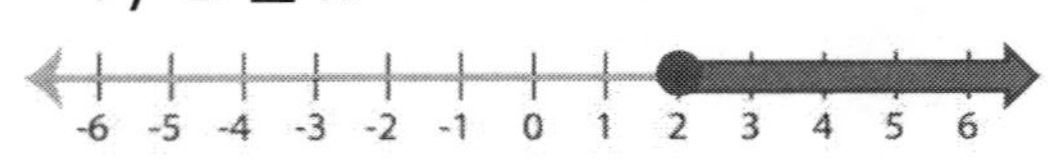

8) $x > 0$

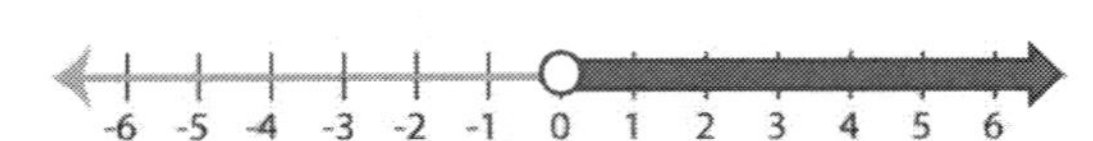

9) $-3 \leq x$

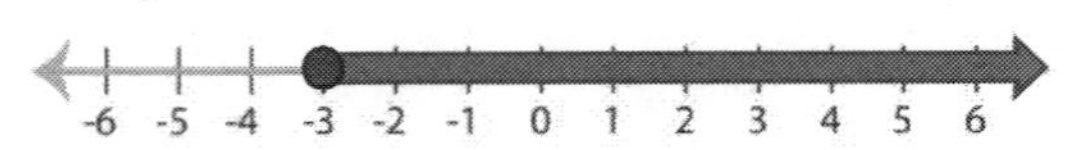

10) $-4 \leq x$

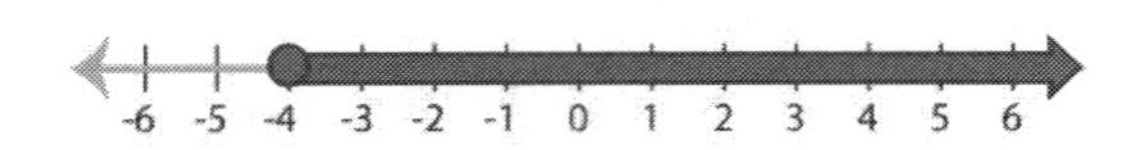

11) $x \leq 6$

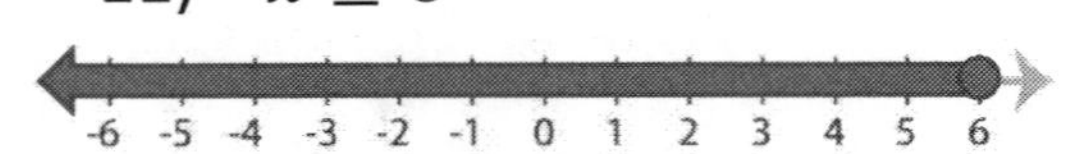

12) $1 \leq x$

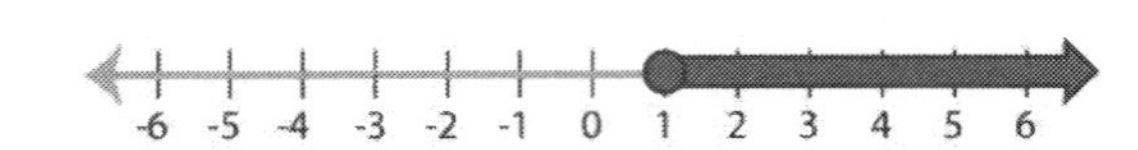

13) $-4 < x$

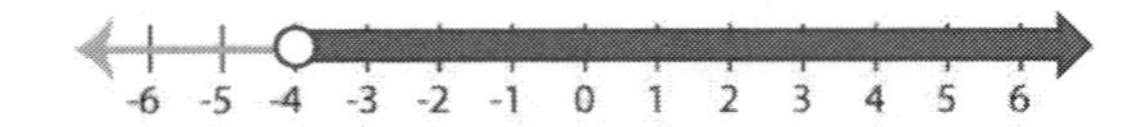

14) $x > -5$

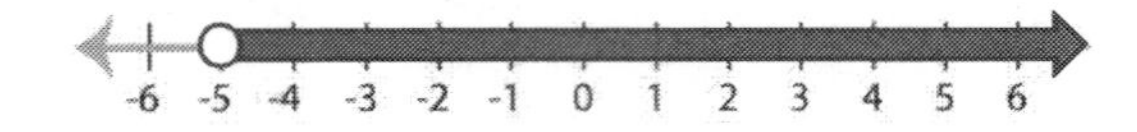

Desigualdades de un Paso

1) $x < 29$
2) $20 \leq x$
3) $x > 40$
4) $x \geq 8$
5) $x > 41$
6) $x \geq -2$
7) $x < -2$
8) $x \leq -18$
9) $x \geq -27$
10) $x < -13$
11) $22 \leq x$
12) $x > 4$
13) $x \geq 36$
14) $x > -25$
15) $x < -31$
16) $21 \leq x$
17) $x \leq 3$
18) $-4 \leq x$
19) $x > -7$
20) $x \leq 3$
21) $x < 2$
22) $x < -12$
23) $x > 36$
24) $108 \leq x$
25) $x < -24$
26) $x \geq 3$
27) $x \geq -5$
28) $x > 15$
29) $x \leq 8$
30) $x > 6$
31) $-7 < x$

Desigualdades de Varios Pasos

1) $x \leq 5$
2) $x \geq 5$
3) $x \geq 9$
4) $x \leq 12$
5) $x \leq 9$
6) $x \leq 8$
7) $x \leq 9$
8) $x \leq 4$
9) $x \leq 8$
10) $x \geq 11$
11) $x \geq 9$
12) $x < 5$
13) $x \geq 25$
14) $x < -7$
15) $x \geq 15$
16) $x \geq 8$
17) $x > -8$
18) $x \leq -11$
19) $x \geq 12$
20) $x \geq 3$
21) $x \leq 5$
22) $x \leq -4$
23) $x < 9$
24) $x < 3$
25) $x < 7$
26) $x \geq 3$

Capítulo 8: Líneas y Pendiente

Temas de matemáticas que aprenderás en este capítulo:

- ✓ Encontrar la Pendiente
- ✓ Graficación de Líneas usando la Forma Pendiente-Intersección
- ✓ Escribir Ecuaciones Lineales
- ✓ Graficación de Desigualdades Lineales
- ✓ Encontrar el Punto Medio
- ✓ Encontrar la Distancia de Dos Puntos

Encuentra más en

bit.ly/3nMJYJv

Encontrar la Pendiente

Encuentre la pendiente de cada recta.

1) $y = 2x - 8$, Pendiente $=$

2) $y = -6x + 3$, Pendiente $=$

3) $y = -x - 5$, Pendiente $=$

4) $y = -2x - 9$, Pendiente $=$

5) $y = 5 + 2x$, Pendiente $=$

6) $y = 1 - 8x$, Pendiente $=$

7) $y = -4x + 3$, Pendiente $=$

8) $y = -9x + 8$, Pendiente $=$

9) $y = -2x + 4$, Pendiente $=$

10) $y = 9x - 8$, Pendiente $=$

11) $y = \frac{1}{2}x + 4$, Pendiente $=$

12) $y = -\frac{2}{5}x + 7$, Pendiente $=$

13) $-x + 3y = 5$, Pendiente $=$

14) $4x + 4y = 6$, Pendiente $=$

15) $6y - 2x = 10$, Pendiente $=$

16) $3y - x = 2$, Pendiente $=$

Halla la pendiente de la recta que pasa por cada par de puntos.

17) $(4, 4), (8, 12)$, Pendiente $=$

18) $(-2, 4), (0, 6)$, Pendiente $=$

19) $(6, -2), (2, 6)$, Pendiente $=$

20) $(-4, -2), (0, 6)$, Pendiente $=$

21) $(6, 2), (3, 5)$, Pendiente $=$

22) $(-5,1), (-1, 9)$, Pendiente $=$

23) $(8, 4), (9, 6)$, Pendiente $=$

24) $(10, -1), (7, 8)$, Pendiente $=$

25) $(16, -3), (13, -6)$, Pendiente $=$

26) $(12,5), (8, 1)$, Pendiente $=$

27) $(6, 6), (8, 10)$, Pendiente $=$

28) $(10, -1), (8, 1)$, Pendiente $=$

Graficación de Líneas usando la Forma Pendiente-Intersección

Dibujar la gráfica de cada recta.

1) $y = -x + 1$

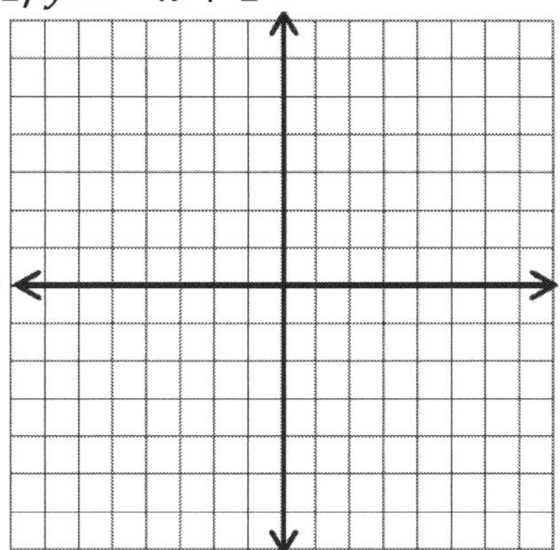

2) $y = 2x - 4$

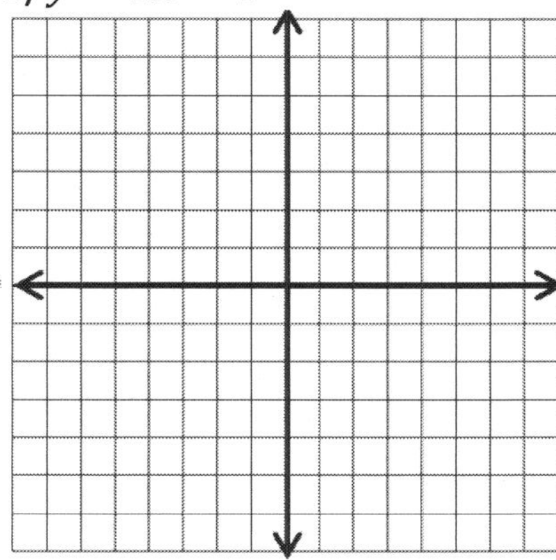

3) $y = -x + 6$

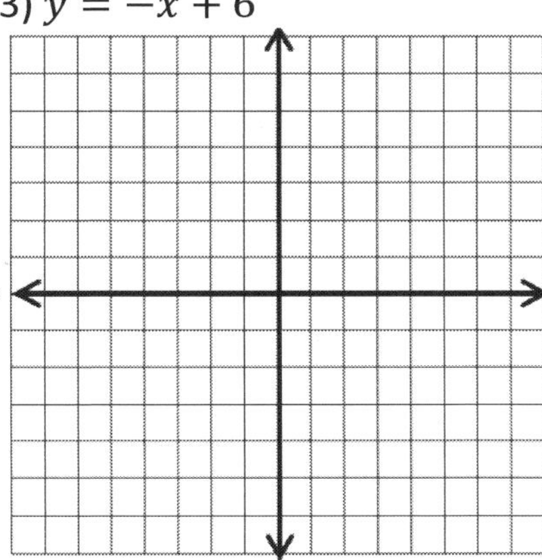

4) $y = x - 4$

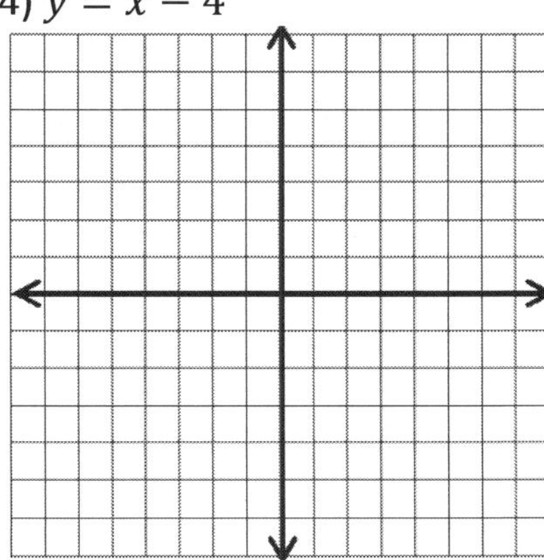

5) $y = 2x - 2$

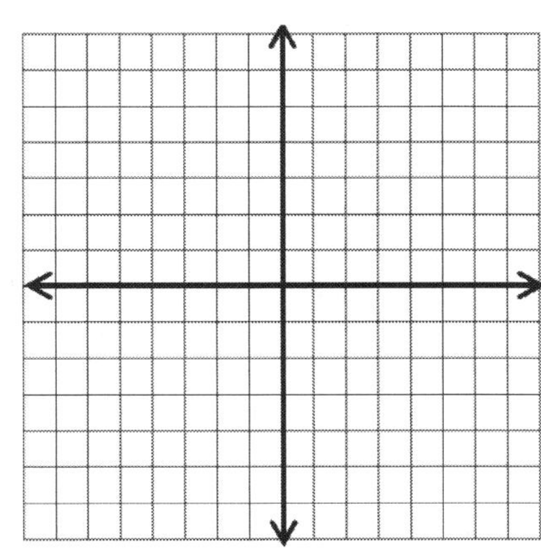

6) $y = -\frac{1}{2}x + 2$

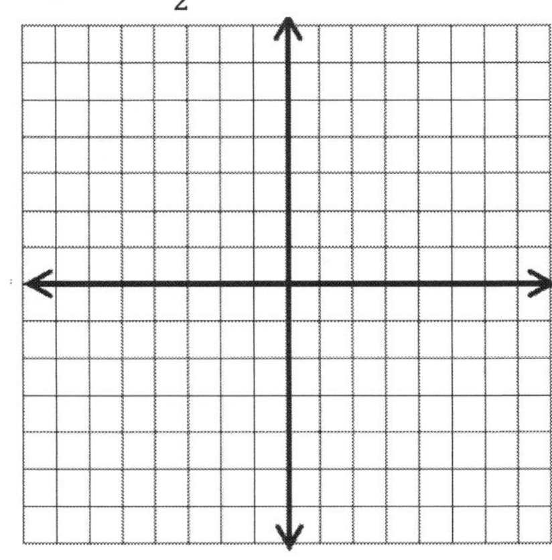

Escribir Ecuaciones Lineales

Escribe la ecuación de la recta que pasa por los puntos dados.

1) A través: $(2,-2),(3,4)$ $y=$
2) A través: $(-2,4),(1,7)$ $y=$
3) A través: $(-1,3),(3,7)$ $y=$
4) A través: $(6,5),(3,2)$ $y=$
5) A través: $(7,-10),(2,10)$ $y=$
6) A través: $(7,2),(6,1)$ $y=$
7) A través: $(6,-1),(4,1)$ $y=$
8) A través: $(-2,8),(-4,-6)$ $y=$
9) A través: $(-2,5),(-3,4)$ $y=$
10) A través: $(6,8),(8,-6)$ $y=$
11) A través: $(-2,5),(-4,-3)$ $y=$
12) A través: $(8,8),(4,-8)$ $y=$
13) A través: $(7,-4)$, Pendiente: -1 $y=$
14) A través: $(4,-10)$, Pendiente: -2 $y=$
15) A través: $(6,10)$, Pendiente: 9 $y=$
16) A través: $(-6,8)$, Pendiente: -2 $y=$

Resuelve cada problema.

17) ¿Cuál es la ecuación de una recta con pendiente 6 e intersección 4? ______

18) ¿Cuál es la ecuación de una recta con pendiente 5 e intersección 9? ______

19) ¿Cuál es la ecuación de una recta con pendiente 8 y que pasa por el punto (2,8)?

____

20) ¿Cuál es la ecuación de una recta con pendiente -3 y que pasa por el punto (-4,10)? ______

Encuentra más en bit.ly/3nPdnTq

Encontrar el Punto Medio

Encuentre el punto medio del segmento de línea con los puntos finales dados.

1) $(4,4),(0,4),$ $\quad punto\ medio = (\_\_,\_\_)$
2) $(5,1),(-1,5),$ $\quad punto\ medio = (\_\_,\_\_)$
3) $(4,-2),(0,6),$ $\quad punto\ medio = (\_\_,\_\_)$
4) $(-3,3),(-1,5),$ $\quad punto\ medio = (\_\_,\_\_)$
5) $(5,-2),(9,-6),$ $\quad punto\ medio = (\_\_,\_\_)$
6) $(-6,-3),(4,-7),$ $\quad punto\ medio = (\_\_,\_\_)$
7) $(7,0),(-7,8),$ $\quad punto\ medio = (\_\_,\_\_)$
8) $(-8,4),(-4,0),$ $\quad punto\ medio = (\_\_,\_\_)$
9) $(-3,6),(9,-8),$ $\quad punto\ medio = (\_\_,\_\_)$
10) $(6,8),(6,-6),$ $\quad punto\ medio = (\_\_,\_\_)$
11) $(6,7),(-8,5),$ $\quad punto\ medio = (\_\_,\_\_)$
12) $(9,3),(-3,-9),$ $\quad punto\ medio = (\_\_,\_\_)$
13) $(-6,12),(-4,6),$ $\quad punto\ medio = (\_\_,\_\_)$
14) $(10,7),(8,-3),$ $\quad punto\ medio = (\_\_,\_\_)$
15) $(13,7),(-5,3),$ $\quad punto\ medio = (\_\_,\_\_)$
16) $(-9,-4),(-5,8),$ $\quad punto\ medio = (\_\_,\_\_)$
17) $(12,5),(6,15),$ $\quad punto\ medio = (\_\_,\_\_)$
18) $(-6,-10),(12,-2),$ $\quad punto\ medio = (\_\_,\_\_)$
19) $(14,13),(-4,9),$ $\quad punto\ medio = (\_\_,\_\_)$
20) $(10,-4),(8,12),$ $\quad punto\ medio = (\_\_,\_\_)$

Encuentra más en bit.ly/2KV50Hy

Encontrar la Distancia de Dos Puntos

Encuentre la distancia de cada par de puntos.

1) $(0, 9), (4, 6)$,

Distancia = ____

2) $(-4, 6), (8, 11)$,

Distancia = ____

3) $(-6, 1), (-3, 5)$,

Distancia = ____

4) $(-3, 2), (3, 10)$,

Distancia = ____

5) $(-5, 3), (4, -9)$,

Distancia = ____

6) $(-7, -5), (5, 0)$,

Distancia = ____

7) $(4, 3), (-4, -12)$,

Distancia = ____

8) $(10, 1), (-5, -19)$,

Distancia = ____

9) $(3, 3), (-1,5)$,

Distancia = ____

10) $(2, -1), (10, 5)$,

Distancia = ____

11) $(-3, 7), (-1, 4)$,

Distancia = ____

12) $(5, -2), (9, -5)$,

Distancia = ____

13) $(-8, 4), (4, 9)$,

Distancia = ____

14) $(6, 8), (6, -6)$,

Distancia = ____

15) $(6, -6), (0, 2)$,

Distancia = ____

16) $(-4, 10), (-4, 4)$,

Distancia = ____

17) $(-7, -6), (-2, 6)$,

Distancia = ____

18) $(11, 0), (3, 15)$,

Distancia = ____

Respuestas – Capítulo 8

Encontrar la pendiente

1) 2	7) -4	13) $\frac{1}{3}$	18) 1	24) -3
2) -6	8) -9	14) -1	19) -2	25) 1
3) -1	9) -2	15) $\frac{1}{3}$	20) 2	26) 1
4) -2	10) 9	16) $\frac{1}{3}$	21) -1	27) 2
5) 2	11) $\frac{1}{2}$	17) 2	22) 2	28) -1
6) -8	12) $-\frac{2}{5}$		23) 2	

Graficación de Líneas usando la Forma Pendiente-Intersección

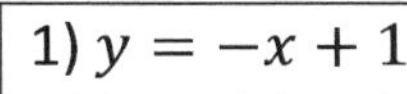

1) $y = -x + 1$

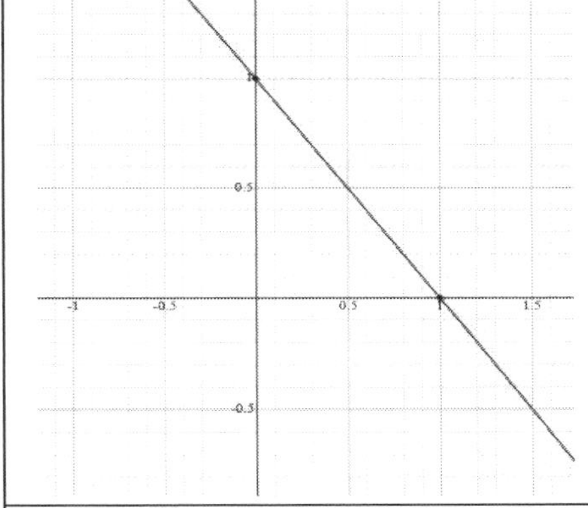

2) $y = 2x - 4$

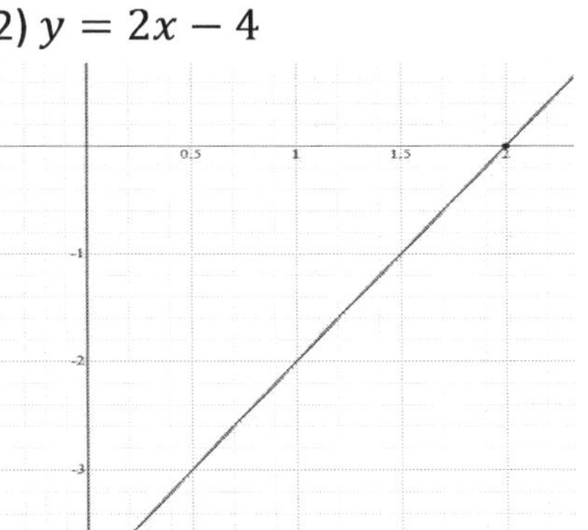

3) $y = -x + 6$

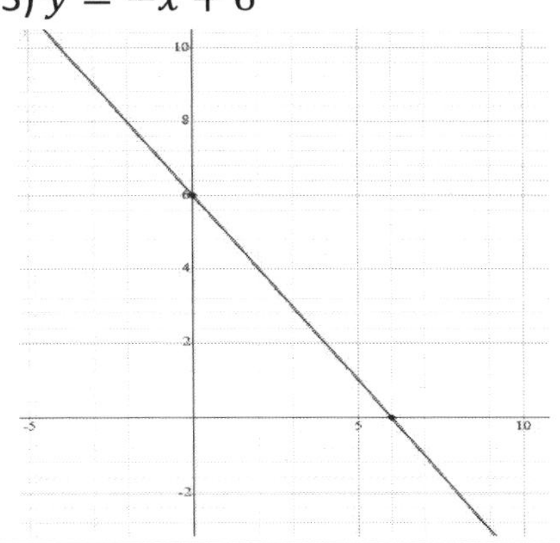

4) $y = x - 4$

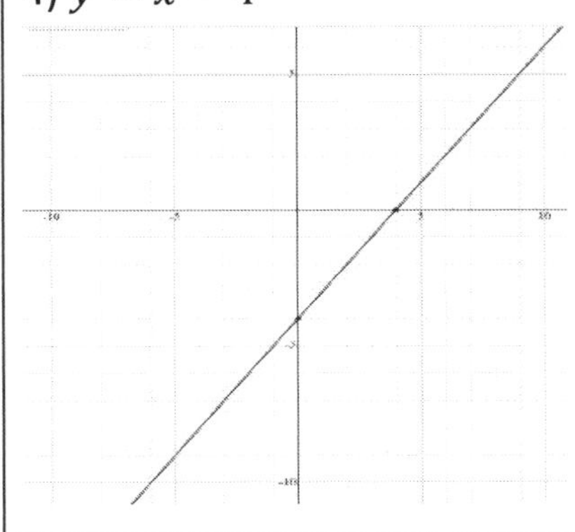

5) $y = 2x - 2$

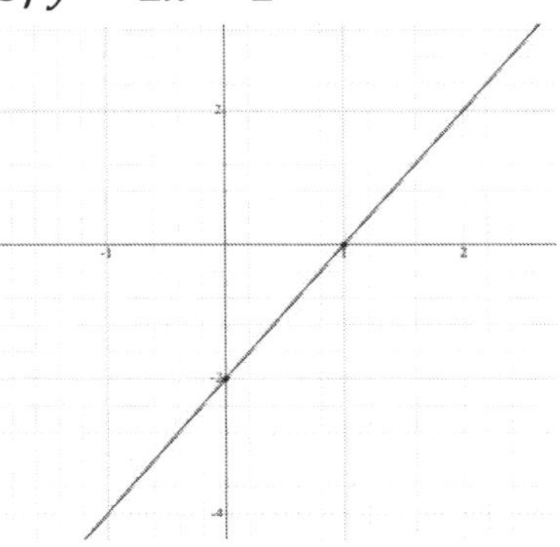

6) $y = -\frac{1}{2}x + 2$

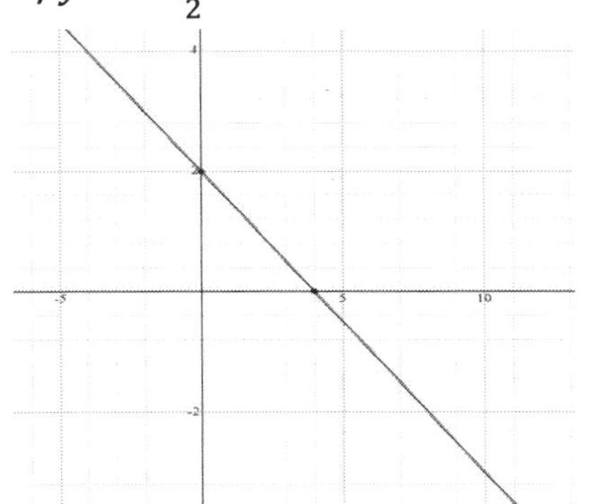

Escribir Ecuaciones Lineales

1) $y = 6x - 14$
2) $y = x + 6$
3) $y = x + 4$
4) $y = x - 1$
5) $y = -4x + 18$
6) $y = x - 5$
7) $y = -x + 5$
8) $y = 7x + 22$
9) $y = x + 7$
10) $y = -7x + 50$
11) $y = 4x + 13$
12) $y = 4x - 24$
13) $y = -x + 3$
14) $y = -2x - 2$
15) $y = 9x - 44$
16) $y = -2x - 4$
17) $y = 6x + 4$
18) $y = 5x + 9$
19) $y = 8x - 8$
20) $y = -3x - 2$

Encontrar el Punto Medio

1) $Punto\ medio = (2, 4)$
2) $Punto\ medio = (2, 3)$
3) $Punto\ medio = (2, 2)$
4) $Punto\ medio = (-2, 4)$
5) $Punto\ medio = (7, -4)$
6) $Punto\ medio = (-1, -5)$
7) $Punto\ medio = (0, 4)$
8) $Punto\ medio = (-6, 2)$
9) $Punto\ medio = (3, -1)$
10) $Punto\ medio = (6, 1)$
11) $Punto\ medio = (-1, 6)$
12) $Punto\ medio = (3, -3)$
13) $Punto\ medio = (-5, 9)$
14) $Punto\ medio = (9, 2)$
15) $Punto\ medio = (4, 5)$
16) $Punto\ medio = (-7, 2)$
17) $Punto\ medio = (9, 10)$
18) $Punto\ medio = (3, -6)$
19) $Punto\ medio = (5, 11)$
20) $Punto\ medio = (9, 4)$

Encontrar la Distancia de Dos Puntos

1) Distancia $= 5$
2) Distancia $= 13$
3) Distancia $= 5$
4) Distancia $= 10$
5) Distancia $= 15$
6) Distancia $= 13$
7) Distancia $= 17$
8) Distancia $= 25$
9) Distancia $= \sqrt{20} = 2\sqrt{5}$
10) Distancia $= 10$
11) Distancia $= \sqrt{13}$
12) Distancia $= 5$
13) Distancia $= 13$
14) Distancia $= 14$
15) Distancia $= 10$
16) Distancia $= 6$
17) Distancia $= 13$
18) Distancia $= 17$

Capítulo 9: Exponentes y Variables

Temas de matemáticas que aprenderás en este capítulo:

- ✓ Propiedad de Multiplicación de Exponentes
- ✓ Propiedad de División de Exponentes
- ✓ Potencias de Productos y Cocientes
- ✓ Exponentes Cero y Negativos
- ✓ Exponentes Negativos y Bases Negativas
- ✓ Notación Cientifica
- ✓ Radicales

Encuentra más en bit.ly/34AWHr1

Propiedad de Multiplicación de Exponentes

Simplifica y escribe la respuesta en forma exponencial.

1) $3 \times 3^2 =$

2) $4^3 \times 4 =$

3) $2^2 \times 2^2 =$

4) $6^2 \times 6^2 =$

5) $7^3 \times 7^2 \times 7 =$

6) $2 \times 2^2 \times 2^2 =$

7) $5^3 \times 5^2 \times 5 \times 5 =$

8) $2x \times x =$

9) $x^3 \times x^2 =$

10) $x^4 \times x^4 =$

11) $x^2 \times x^2 \times x^2 =$

12) $6x \times 6x =$

13) $2x^2 \times 2x^2 =$

14) $3x^2 \times x =$

15) $4x^4 \times 4x^4 \times 4x^4 =$

16) $2x^2 \times x^2 =$

17) $x^4 \times 3x =$

18) $x \times 2x^2 =$

19) $5x^4 \times 5x^4 =$

20) $2yx^2 \times 2x =$

21) $3x^4 \times y^2x^4 =$

22) $y^2x^3 \times y^5x^2 =$

23) $4yx^3 \times 2x^2y^3 =$

24) $6x^2 \times 6x^3y^4 =$

25) $3x^4y^5 \times 7x^2y^3 =$

26) $7x^2y^5 \times 9xy^3 =$

27) $7xy^4 \times 4x^3y^3 =$

28) $3x^5y^3 \times 8x^2y^3 =$

29) $6x \times y^5x^2 \times y^3 =$

30) $yx^3 \times 3y^3x^2 \times 2xy =$

31) $5yx^3 \times 4y^2x \times xy^3 =$

32) $6x^2 \times 3x^3y^4 \times 10yx^3 =$

Encuentra más en
bit.ly/37JAclZ

Propiedad de División de Exponentes

Simplifica y escribe la respuesta.

1) $\frac{3^2}{3^3} =$

2) $\frac{2^6}{2^2} =$

3) $\frac{4^4}{4} =$

4) $\frac{5}{5^4} =$

5) $\frac{x}{x^3} =$

6) $\frac{3\times3^3}{3^2\times3^4} =$

7) $\frac{5^8}{5^3} =$

8) $\frac{5\times5^6}{5^2\times5^7} =$

9) $\frac{3^4\times3^7}{3^2\times3^8} =$

10) $\frac{5x}{10x^3} =$

11) $\frac{5x^3}{2x^5} =$

12) $\frac{18x^3}{14x^6} =$

13) $\frac{12x^3}{8xy^8} =$

14) $\frac{24xy^3}{4x^4y^2} =$

15) $\frac{21x^3y^9}{7xy^5} =$

16) $\frac{36x^2y^9}{4x^3} =$

17) $\frac{18x^3y^4}{10x^6y^8} =$

18) $\frac{16y^2x^{14}}{24yx^8} =$

19) $\frac{15x^4y}{9x^9y^2} =$

20) $\frac{7x^7y^2}{28x^5y^6} =$

Potencias de Productos y Cocientes

Simplifica y escribe la respuesta.

1) $(3^2)^2 =$

2) $(5^2)^3 =$

3) $(3 \times 3^3)^4 =$

4) $(6 \times 6^4)^2 =$

5) $(3^3 \times 3^2)^3 =$

6) $(5^4 \times 5^5)^2 =$

7) $(2 \times 2^4)^2 =$

8) $(2x^6)^2 =$

9) $(11x^5)^2 =$

10) $(4x^2y^4)^4 =$

11) $(2x^4y^4)^3 =$

12) $(3x^2y^2)^2 =$

13) $(3x^4y^3)^4 =$

14) $(2x^6y^8)^2 =$

15) $(12x^3x)^3 =$

16) $(5x^9x^6)^3 =$

17) $(5x^{10}y^3)^3 =$

18) $(14x^3x^3)^2 =$

19) $(3x^35x)^2 =$

20) $(10x^{11}y^3)^2 =$

21) $(9x^7y^5)^2 =$

22) $(4x^4y^6)^5 =$

23) $(3x4y^3)^2 =$

24) $\left(\frac{6x}{x^2}\right)^2 =$

25) $\left(\frac{x^5y^5}{x^2y^2}\right)^3 =$

26) $\left(\frac{24x}{4x^6}\right)^2 =$

27) $\left(\frac{x^5}{x^6y^2}\right)^2 =$

28) $\left(\frac{xy^3}{x^2y^5}\right)^3 =$

29) $\left(\frac{3xy^3}{x^4}\right)^2 =$

30) $\left(\frac{xy^5}{4xy^3}\right)^3 =$

Encuentra más en

bit.ly/3rnkh4v

Exponentes Cero y Negativos

Evalúa las siguientes expresiones.

1) $2^{-1} =$

2) $3^{-2} =$

3) $0^{10} =$

4) $1^{-8} =$

5) $8^{-1} =$

6) $8^{-2} =$

7) $2^{-4} =$

8) $10^{-2} =$

9) $9^{-2} =$

10) $3^{-3} =$

11) $7^{-3} =$

12) $3^{-4} =$

13) $6^{-3} =$

14) $5^{-3} =$

15) $22^{-1}=$

16) $4^{-4} =$

17) $5^{-4} =$

18) $15^{-2} =$

19) $4^{-5} =$

20) $9^{-3} =$

21) $3^{-5} =$

22) $5^{-4} =$

23) $12^{-2} =$

24) $15^{-3} =$

25) $20^{-3} =$

26) $50^{-2} =$

27) $18^{-3} =$

28) $24^{-2} =$

29) $30^{-3} =$

30) $10^{-5} =$

31) $(\frac{1}{8})^{-1} =$

32) $(\frac{1}{5})^{-2} =$

33) $(\frac{1}{7})^{-2} =$

34) $(\frac{2}{3})^{-2} =$

35) $(\frac{1}{5})^{-3} =$

36) $(\frac{3}{4})^{-2} =$

37) $(\frac{2}{5})^{-2} =$

38) $(\frac{1}{2})^{-8} =$

39) $(\frac{2}{3})^{-3} =$

40) $(\frac{3}{4})^{-3} =$

41) $(\frac{5}{6})^{-2} =$

42) $(\frac{6}{9})^{-2} =$

Encuentra más en bit.ly/3nPROSM

Exponentes Negativos y Bases Negativas

Simplifica y escribe la respuesta.

1) $-2^{-1} =$

2) $-4^{-2} =$

3) $-3^{-4} =$

4) $-x^{-5} =$

5) $2x^{-1} =$

6) $-4x^{-3} =$

7) $-12x^{-5} =$

8) $-5x^{-2}y^{-3} =$

9) $20x^{-4}y^{-1} =$

10) $14a^{-6}b^{-7} =$

11) $-12x^{2}y^{-3} =$

12) $-\frac{25}{x^{-6}} =$

13) $-\frac{2x}{y^{-4}} =$

14) $(-\frac{1}{3x})^{-2} =$

15) $(-\frac{3}{4x})^{-2} =$

16) $-\frac{9}{a^{-7}b^{-2}} =$

17) $-\frac{5x}{x^{-3}} =$

18) $-\frac{a^{-3}}{b^{-2}} =$

19) $-\frac{8}{x^{-3}} =$

20) $\frac{5b}{-9c^{-4}} =$

21) $\frac{9ab}{a^{-3}b^{-1}} =$

22) $-\frac{15a^{-2}}{30b^{-3}} =$

23) $\frac{4ab^{-2}}{-3c^{-2}} =$

24) $(\frac{3a}{2c})^{-2} =$

25) $(-\frac{3x}{4yz})^{-2} =$

26) $\frac{15ab^{-6}}{-9c^{-2}} =$

27) $(-\frac{x^{3}}{x^{4}})^{-3} =$

28) $(-\frac{x^{-2}}{2x^{2}})^{-2} =$

Encuentra más en
bit.ly/3nOwJYP

Notación cientifica

Escribe cada numero en notación científica.

1) $0.114 =$
2) $0.06 =$
3) $8.6 =$
4) $30 =$
5) $60 =$
6) $0.004 =$
7) $78 =$
8) $1{,}600 =$
9) $1{,}450 =$
10) $31{,}000 =$
11) $2{,}000{,}000 =$
12) $0.0000003 =$
13) $554{,}000 =$
14) $0.000725 =$
15) $0.00034 =$
16) $86{,}000{,}000 =$
17) $62{,}000 =$
18) $97{,}000{,}000 =$
19) $0.0000045 =$
20) $0.0019 =$

Escribe cada número en notación estándar.

21) $2 \times 10^{-1} =$
22) $8 \times 10^{-2} =$
23) $1.8 \times 10^{3} =$
24) $9 \times 10^{-4} =$
25) $1.7 \times 10^{-2} =$
26) $9 \times 10^{3} =$
27) $6 \times 10^{4} =$
28) $2.18 \times 10^{5} =$
29) $5 \times 10^{-3} =$
30) $9.4 \times 10^{-5} =$

Encuentra más en bit.ly/2WEATqr

Radicales

Simplifica y escribe la respuesta.

1) $\sqrt{1} =$ ____

2) $\sqrt{0} =$ ____

3) $\sqrt{16} =$ ____

4) $\sqrt{4} =$ ____

5) $\sqrt{9} =$ ____

6) $\sqrt{25} =$ ____

7) $\sqrt{49} =$ ____

8) $\sqrt{36} =$ ____

9) $\sqrt{64} =$ ____

10) $\sqrt{81} =$ ____

11) $\sqrt{121} =$ ____

12) $\sqrt{225} =$ ____

13) $\sqrt{144} =$ ____

14) $\sqrt{100} =$ ____

15) $\sqrt{256} =$ ____

16) $\sqrt{289} =$ ____

17) $\sqrt{324} =$ ____

18) $\sqrt{400} =$ ____

19) $\sqrt{900} =$ ____

20) $\sqrt{529} =$ ____

21) $\sqrt{361} =$ ____

22) $\sqrt{169} =$ ____

23) $\sqrt{196} =$ ____

24) $\sqrt{90} =$ ____

Evalúa.

25) $\sqrt{6} \times \sqrt{6} =$

26) $\sqrt{5} \times \sqrt{5} =$

27) $\sqrt{8} \times \sqrt{8} =$

28) $\sqrt{2} + \sqrt{2} =$

29) $\sqrt{8} + \sqrt{8} =$

30) $6\sqrt{5} - 2\sqrt{5} =$

31) $\sqrt{25} \times \sqrt{16} =$

32) $\sqrt{25} \times \sqrt{64} =$

33) $\sqrt{64} \times \sqrt{49} =$

34) $5\sqrt{5} \times 3\sqrt{5} =$

35) $7\sqrt{3} \times 2\sqrt{3} =$

36) $5\sqrt{2} - \sqrt{8} =$

Respuestas – Capítulo 9

Propiedad de Multiplicación de Exponentes

1) 3^3
2) 4^4
3) 2^4
4) 6^4
5) 7^6
6) 2^5
7) 5^7
8) $2x^2$
9) x^5
10) x^8
11) x^6
12) $36x^2$
13) $4x^4$
14) $3x^3$
15) $64x^{12}$
16) $2x^4$
17) $3x^5$
18) $2x^3$
19) $25x^8$
20) $4x^3y$
21) $3x^8y^2$
22) x^5y^7
23) $8x^5y^4$
24) $36x^5y^4$
25) $21x^6y^8$
26) $63x^3y^8$
27) $28x^4y^7$
28) $24x^7y^6$
29) $6x^3y^8$
30) $6x^6y^5$
31) $20x^5y^6$
32) $180x^8y^5$

Propiedad de División de Exponentes

1) $\frac{1}{3}$
2) 2^4
3) 4^3
4) $\frac{1}{5^3}$
5) $\frac{1}{x^2}$
6) $\frac{1}{3^2}$
7) 5^5
8) $\frac{1}{5^2}$
9) 3
10) $\frac{1}{2x^2}$
11) $\frac{5}{2x^2}$
12) $\frac{9}{7x^3}$
13) $\frac{3x^2}{2y^8}$
14) $\frac{6y}{x^3}$
15) $3x^2y^4$
16) $\frac{9y^9}{x}$
17) $\frac{9}{5x^3y^4}$
18) $\frac{2yx^6}{3}$
19) $\frac{5}{3x^5y}$
20) $\frac{x^2}{4y^4}$

Potencias de Productos y Cocientes

1) 3^4
2) 5^6
3) 3^{16}
4) 6^{10}
5) 3^{15}
6) 5^{18}
7) 2^{10}
8) $4x^{12}$
9) $121x^{10}$
10) $256x^8y^{16}$
11) $8x^{12}y^{12}$
12) $9x^4y^4$
13) $81x^{16}y^{12}$
14) $4x^{12}y^{16}$
15) $1{,}728x^{12}$
16) $125x^{45}$
17) $125x^{30}y^9$
18) $196x^{12}$
19) $225x^8$
20) $100x^{22}y^6$
21) $81x^{14}y^{10}$
22) $1{,}024x^{20}y^{30}$
23) $144x^2y^6$
24) $\frac{36}{x^2}$
25) x^9y^9
26) $\frac{36}{x^{10}}$
27) $\frac{1}{x^2y^4}$
28) $\frac{1}{x^3y^6}$
29) $\frac{9y^6}{x^6}$
30) $\frac{y^6}{64}$

Exponentes Cero y Negativos

1) $\frac{1}{2}$

2) $\frac{1}{9}$

3) 0

4) 1

5) $\frac{1}{8}$

6) $\frac{1}{64}$

7) $\frac{1}{16}$

8) $\frac{1}{100}$

9) $\frac{1}{81}$

10) $\frac{1}{27}$

11) $\frac{1}{343}$

12) $\frac{1}{81}$

13) $\frac{1}{216}$

14) $\frac{1}{125}$

15) $\frac{1}{22}$

16) $\frac{1}{256}$

17) $\frac{1}{625}$

18) $\frac{1}{225}$

19) $\frac{1}{1,024}$

20) $\frac{1}{729}$

21) $\frac{1}{243}$

22) $\frac{1}{625}$

23) $\frac{1}{144}$

24) $\frac{1}{3,375}$

25) $\frac{1}{8,000}$

26) $\frac{1}{2,500}$

27) $\frac{1}{5,832}$

28) $\frac{1}{576}$

29) $\frac{1}{27,000}$

30) $\frac{1}{100,000}$

31) 8

32) 25

33) 49

34) $\frac{9}{4}$

35) 125

36) $\frac{16}{9}$

37) $\frac{25}{4}$

38) 256

39) $\frac{27}{8}$

40) $\frac{64}{27}$

41) $\frac{36}{25}$

42) $\frac{81}{36}$

Exponentes Negativos y Bases Negativas

1) $-\frac{1}{2}$

2) $-\frac{1}{16}$

3) $-\frac{1}{81}$

4) $-\frac{1}{x^5}$

5) $\frac{2}{x}$

6) $-\frac{4}{x^3}$

7) $-\frac{12}{x^5}$

8) $-\frac{5}{x^2y^3}$

9) $\frac{20}{x^4y}$

10) $\frac{14}{a^6b^7}$

11) $-\frac{12x^2}{y^3}$

12) $-25x^6$

13) $-2xy^4$

14) $9x^2$

15) $\frac{16x^2}{9}$

16) $-9a^7b^2$

17) $-5x^4$

18) $-\frac{b^2}{a^3}$

19) $-8x^3$

20) $-\frac{5bc^4}{9}$

21) $9a^4b^2$

22) $-\frac{b^3}{2a^2}$

23) $-\frac{4ac^2}{3b^2}$

24) $\frac{4c^2}{9a^2}$

25) $\frac{16y^2z^2}{9x^2}$

26) $-\frac{5ac^2}{3b^6}$

27) $-x^3$

28) $4x^8$

Notación Cientifica

1) 1.14×10^{-1}
2) 6×10^{-2}
3) 8.6×10^{0}
4) 3×10^{1}
5) 6×10^{1}
6) 4×10^{-3}
7) 7.8×10^{1}
8) 1.6×10^{3}
9) 1.45×10^{3}
10) 3.1×10^{4}
11) 2×10^{6}
12) 3×10^{-7}
13) 5.54×10^{5}
14) 7.25×10^{-4}
15) 3.4×10^{-4}
16) 8.6×10^{7}
17) 6.2×10^{4}
18) 9.7×10^{7}
19) 4.5×10^{-6}
20) 1.9×10^{-3}
21) 0.2
22) 0.08
23) 1,800
24) 0.0009
25) 0.017
26) 9,000
27) 60,000
28) 218,000
29) 0.005
30) 0.000094

Radicales

1) 1
2) 0
3) 4
4) 2
5) 3
6) 5
7) 7
8) 6
9) 8
10) 9
11) 11
12) 15
13) 12
14) 10
15) 16
16) 17
17) 18
18) 20
19) 30
20) 23
21) 19
22) 13
23) 14
24) $3\sqrt{10}$
25) 6
26) 5
27) 8
28) $2\sqrt{2}$
29) $2\sqrt{8} = 4\sqrt{2}$
30) $4\sqrt{5}$
31) 20
32) 40
33) 56
34) 75
35) 42
36) $3\sqrt{2}$

Capítulo 10:
Polinomios

Temas de matemáticas que aprenderás en este capítulo:

- ✓ Simplificación de Polinomios
- ✓ Suma y Resta de Polinomios
- ✓ Multiplicación de Monomios
- ✓ Multiplicación y División de Monomios
- ✓ Multiplicación de un Polinomio y un Monomio
- ✓ Multiplicación de Binomios
- ✓ Trinomios de Factorización

Encuentra más en

bit.ly/3rnAcj8

Simplificación de Polinomios

Simplifica cada expresión

1) $3(2x+1) =$ ____________
2) $2(4x-6) =$ ____________
3) $4(3x+3) =$ ____________
4) $2(4x+5) =$ ____________
5) $-3(8x-7) =$ ____________
6) $2x(3x+4) =$ ____________
7) $3x^2 + 3x^2 - 2x^3 =$ ____________
8) $2x - x^2 + 6x^3 + 4 =$ ____________
9) $5x + 2x^2 - 9x^3 =$ ____________
10) $7x^2 + 5x^4 - 2x^3 =$ ____________
11) $-3x^2 + 5x^3 + 6x^4 =$ ____________
12) $(x-3)(x-4) =$ ____________
13) $(x-5)(x+4) =$ ____________
14) $(x-6)(x-3) =$ ____________
15) $(2x+5)(x+8) =$ ____________
16) $(3x-8)(x+4) =$ ____________
17) $-8x^2 + 2x^3 - 10x^4 + 5x =$ ____________
18) $11 - 6x^2 + 5x^2 - 12x^3 + 22 =$ ____________
19) $3x^2 - 4x + 4x^3 + 10x - 21x =$ ____________
20) $10 - 6x^2 + 5x^2 - 3x^3 + 2 =$ ____________
21) $3x^5 - 2x^3 + 8x^2 - x^5 =$ ____________
22) $(5x^3 - 1) + (4x^3 - 6x^3) =$ ____________

Encuentra más en bit.ly/2KUqHqQ

Suma y Resta de Polinomios

Suma o Resta de Expresiones.

1) $(x^2 - 5) + (x^2 + 6) =$ ________________

2) $(2x^2 - 6) - (3 - 2x^2) =$ ________________

3) $(x^3 + 3x^2) - (x^3 + 6) =$ ________________

4) $(4x^3 - x^2) + (6x^2 - 8x) =$ ________________

5) $(2x^3 + 3x) - (5x^3 + 2) =$ ________________

6) $(5x^3 - 2) + (2x^3 + 10) =$ ________________

7) $(7x^3 + 5) - (9 - 4x^3) =$ ________________

8) $(5x^2 + 3x^3) - (2x^3 + 6) =$ ________________

9) $(8x^2 - x) + (4x - 8x^2) =$ ________________

10) $(6x + 9x^2) - (5x + 2) =$ ________________

11) $(7x^4 - 2x) - (6x - 2x^4) =$ ________________

12) $(2x - 4x^3) - (9x^3 + 6x) =$ ________________

13) $(8x^3 - 8x^2) - (6x^2 - 3x) =$ ________________

14) $(9x^2 - 6) + (5x^2 - 4x^3) =$ ________________

15) $(8x^3 + 3x^4) - (x^4 - 3x^3) =$ ________________

16) $(-4x^3 - 2x) + (5x - 2x^3) =$ ________________

17) $(9x - 5x^4) - (8x^4 + 4x) =$ ________________

18) $(8x - 3x^2) - (7x^4 - 3x^2) =$ ________________

19) $(9x^3 - 7) + (5x^3 - 4x^2) =$ ________________

20) $(7x^3 + x^4) - (6x^4 - 5x^3) =$ ________________

Encuentra más en
bit.ly/2KLVoP8

Multiplicación de Monomios

Simplifica cada expresión.

1) $4x^7 \times x^3 =$ ____________

2) $6y^2 \times 6y^3 =$ ____________

3) $-6z^7 \times 4z^4 =$ ____________

4) $5x^5y \times 8xy^3 =$ ____________

5) $-6xy^8 \times 3x^5y^3 =$ ____________

6) $7a^4b^2 \times 3a^8b =$ ____________

7) $5xy^5 \times 3x^3y^4 =$ ____________

8) $5p^5q^4 \times (-6pq^4) =$ ____________

9) $8s^6t^2 \times 6s^3t^7 =$ ____________

10) $(-8x^5y^2) \times 4x^6y^3 =$ ____________

11) $9xy^6z \times 3y^4z^2 =$ ____________

12) $12x^5y^4 \times 2x^8y =$ ____________

13) $4pq^5 \times (-7p^4q^8) =$ ____________

14) $9s^4t^2 \times (-5st^5) =$ ____________

15) $10p^3q^5 \times (-4p^4q^6) =$ ____________

16) $(-5p^2q^4r) \times 7pq^5r^3 =$ ____________

17) $(-9a^4b^7c^4) \times (-\ 4a^7b) =$ ____________

18) $7u^5v^9 \times (-5u^{12}v^7) =$ ____________

19) $4u^4v^9z^2 \times (-5uv^8z) =$ ____________

20) $(-6xy^3z^5) \times 3x^3yz^7 =$ ____________

21) $6x^2y^3z^5 \times (-\ 7x^4y^2z) =$ ____________

22) $7a^5b^8c^{12} \times 4a^6b^5c^9 =$ ____________

bit.ly/2WHp4Q4

Encuentra más en

Multiplicación y División de Monomios

Simplifica cada expresión.

1) $(3x^5)(2x^2) =$ ______

2) $(6x^5)(2x^4) =$ ______

3) $(-7x^9)(2x^5) =$ ______

4) $(7x^7y^9)(-5x^6y^6) =$ ______

5) $(8x^5y^6)(3x^2y^5) =$ ______

6) $(8yx^2)(7y^5x^3) =$ ______

7) $(4x^2y)(2x^2y^3) =$ ______

8) $(-2x^9y^4)(-9x^6y^8) =$ ______

9) $(-5x^8y^2)(-6x^4y^5) =$ ______

10) $(8x^8y)(-7x^4y^3) =$ ______

11) $(9x^6y^2)(6x^7y^4) =$ ______

12) $(8x^9y^5)(6x^5y^4) =$ ______

13) $(-5x^8y^9)(7x^7y^8) =$ ______

14) $(6x^2y^5)(5x^3y^2) =$ ______

15) $(9x^5y^{12})(4x^7y^9) =$ ______

16) $(-10x^{14}y^8)(2x^7y^5) =$ ______

17) $\frac{6x^5y^7}{xy^6} =$ ______

18) $\frac{9x^6y^6}{3x^4y} =$ ______

19) $\frac{16x^4y^6}{4xy} =$ ______

20) $\frac{-30x^9y^8}{5x^5y^4} =$ ______

Encuentra más en bit.ly/3aBYdx2

Multiplicación de un Polinomio y un Monomio

Encuentra cada producto.

1) $x(x-5)=$ __________

2) $2(3+x)=$ __________

3) $x(x-7)=$ __________

4) $x(x+9)=$ __________

5) $2x(x-2)=$ __________

6) $5(4x+3)=$ __________

7) $4x(3x-4)=$ __________

8) $x(5x+2y)=$ __________

9) $3x(x-2y)=$ __________

10) $6x(3x-4y)=$ __________

11) $2x(3x-8)=$ __________

12) $6x(4x-6y)=$ __________

13) $3x(4x-2y)=$ __________

14) $2x(2x-6y)=$ __________

15) $5x(x^2+y^2)=$ __________

16) $3x(2x^2-y^2)=$ __________

17) $6(9x^2+3y^2)=$ __________

18) $4x(-3x^2y+2y)=$ __________

19) $-3(6x^2-5xy+3)=$ __________

20) $6(x^2-4xy-3)=$ __________

Encuentra más en bit.ly/3aCs0FL

Multiplicación de Binomios

Encuentra cada producto.

1) $(x-3)(x+4)=$ ________

2) $(x+3)(x+5)=$ ________

3) $(x-6)(x-7)=$ ________

4) $(x-9)(x-4)=$ ________

5) $(x-7)(x-5)=$ ________

6) $(x+6)(x+2)=$ ________

7) $(x-9)(x+3)=$ ________

8) $(x-8)(x-5)=$ ________

9) $(x+3)(x+7)=$ ________

10) $(x-9)(x+4)=$ ________

11) $(x+6)(x+6)=$ ________

12) $(x+7)(x+7)=$ ________

13) $(x-8)(x+7)=$ ________

14) $(x+9)(x+9)=$ ________

15) $(x-8)(x-8)=$ ________

16) $(x-9)(x+5)=$ ________

17) $(2x-5)(x+4)=$ ________

18) $(2x+6)(x+3)=$ ________

19) $(2x+4)(x+5)=$ ________

20) $(2x-3)(2x+2)=$ ________

Encuentra más en
bit.ly/38EpdJA

Factorización de Trinomios

Factoriza cada trinomio.

1) $x^2 + 5x + 4 =$ ______

2) $x^2 + 5x + 6 =$ ______

3) $x^2 - 4x + 3 =$ ______

4) $x^2 - 10x + 25 =$ ______

5) $x^2 - 13x + 40 =$ ______

6) $x^2 + 8x + 12 =$ ______

7) $x^2 - 6x - 27 =$ ______

8) $x^2 - 14x + 48 =$ ______

9) $x^2 + 15x + 56 =$ ______

10) $x^2 - 5x - 36 =$ ______

11) $x^2 + 12x + 36 =$ ______

12) $x^2 + 16x + 63 =$ ______

13) $x^2 + x - 72 =$ ______

14) $x^2 + 18x + 81 =$ ______

15) $x^2 - 16x + 64 =$ ______

16) $x^2 - 18x + 81 =$ ______

17) $2x^2 + 10x + 8 =$ ______

18) $2x^2 + 4x - 6 =$ ______

19) $2x^2 + 9x + 4 =$ ______

20) $4x^2 + 4x - 24 =$ ______

Respuestas – Capítulo 10

Simplificación de Polinomios

1) $6x + 3$
2) $8x - 12$
3) $12x + 12$
4) $8x + 10$
5) $-24x + 21$
6) $6x^2 + 8x$
7) $-2x^3 + 6x^2$
8) $6x^3 - x^2 + 2x + 4$
9) $-9x^3 + 2x^2 + 5x$
10) $5x^4 - 2x^3 + 7x^2$
11) $6x^4 + 5x^3 - 3x^2$
12) $x^2 - 7x + 12$
13) $x^2 - x - 20$
14) $x^2 - 9x + 18$
15) $2x^2 + 21x + 40$
16) $3x^2 + 4x - 32$
17) $-10x^4 + 2x^3 - 8x^2 + 5x$
18) $-12x^3 - x^2 + 33$
19) $4x^3 + 3x^2 - 15x$
20) $-3x^3 - x^2 + 12$
21) $2x^5 - 2x^3 + 8x^2$
22) $3x^3 - 1$

Suma y Resta de Polinomios

1) $2x^2 + 1$
2) $4x^2 - 9$
3) $3x^2 - 6$
4) $4x^3 + 5x^2 - 8x$
5) $-3x^3 + 3x - 2$
6) $7x^3 + 8$
7) $11x^3 - 4$
8) $x^3 + 5x^2 - 6$
9) $3x$
10) $9x^2 + x - 2$
11) $9x^4 - 8x$
12) $-13x^3 - 4x$
13) $8x^3 - 14x^2 + 3x$
14) $-4x^3 + 14x^2 - 6$
15) $2x^4 + 11x^3$
16) $-6x^3 + 3x$
17) $-13x^4 + 5x$
18) $-7x^4 + 8x$
19) $14x^3 - 4x^2 - 7$
20) $-5x^4 + 12x^3$

Multiplicación de Monomios

1) $4x^{10}$
2) $36y^5$
3) $-24z^{11}$
4) $40x^6y^4$
5) $-18x^6y^{11}$
6) $21a^{12}b^3$
7) $15x^4y^9$
8) $-30p^6q^8$
9) $48s^9t^9$
10) $-32x^{11}y^5$
11) $27xy^{10}z^3$
12) $24x^{13}y^5$
13) $-28p^5q^{13}$
14) $-45s^5t^7$
15) $-40p^7q^{11}$
16) $-35p^3q^9r^4$
17) $36a^{11}b^8c^4$
18) $-35u^{17}v^{16}$
19) $-20u^5v^{17}z^3$
20) $-18x^4y^4z^{12}$
21) $-42x^6y^5z^6$
22) $28a^{11}b^{13}c^{21}$

Multiplicación y División de Monomios

1) $6x^7$
2) $12x^9$
3) $-14x^{14}$
4) $-35x^{13}y^{15}$
5) $24x^7y^{11}$
6) $56y^6x^5$
7) $8x^4y^4$
8) $18x^{15}y^{12}$
9) $30x^{12}y^7$
10) $-56x^{12}y^4$
11) $54x^{13}y^6$
12) $48x^{14}y^9$
13) $-35x^{15}y^{17}$
14) $30x^5y^7$
15) $36x^{12}y^{21}$
16) $-20x^{21}y^{13}$
17) $6x^4y$
18) $3x^2y^5$
19) $4x^3y^5$
20) $-6x^4y^4$

Multiplicación de un Polinomio y un Monomio

1) $x^2 - 5x$
2) $2x + 6$
3) $x^2 - 7x$
4) $x^2 + 9x$
5) $2x^2 - 4x$
6) $20x + 15$
7) $12x^2 - 16x$
8) $5x^2 + 2xy$
9) $3x^2 - 6xy$
10) $18x^2 - 24xy$
11) $6x^2 - 16x$
12) $24x^2 - 36xy$
13) $12x^2 - 6xy$
14) $4x^2 - 12xy$
15) $5x^3 + 5xy^2$
16) $6x^3 - 3xy^2$
17) $54x^2 + 18y^2$
18) $-12x^3y + 8xy$
19) $-18x^2 + 15xy - 9$
20) $6x^2 - 24xy - 18$

Multiplicación de Binomios

1) $x^2 + x - 12$
2) $x^2 + 8x + 15$
3) $x^2 - 13x + 42$
4) $x^2 - 13x + 36$
5) $x^2 - 12x + 35$
6) $x^2 + 8x + 12$
7) $x^2 - 6x - 27$
8) $x^2 - 13x + 40$
9) $x^2 + 10x + 21$
10) $x^2 - 5x - 36$
11) $x^2 + 12x + 36$
12) $x^2 + 14x + 49$
13) $x^2 - x - 56$
14) $x^2 + 18x + 81$
15) $x^2 - 16x + 64$
16) $x^2 - 4x - 45$
17) $2x^2 + 3x - 20$
18) $2x^2 + 12x + 18$
19) $2x^2 + 14x + 20$
20) $4x^2 - 2x - 6$

Factorización de Trinomios

1) $(x+4)(x+1)$
2) $(x+3)(x+2)$
3) $(x-1)(x-3)$
4) $(x-5)(x-5)$
5) $(x-8)(x-5)$
6) $(x+6)(x+2)$
7) $(x-9)(x+3)$
8) $(x-8)(x-6)$
9) $(x+8)(x+7)$
10) $(x-9)(x+4)$
11) $(x+6)(x+6)$
12) $(x+7)(x+9)$
13) $(x-8)(x+9)$
14) $(x+9)(x+9)$
15) $(x-8)(x-8)$
16) $(x-9)(x-9)$
17) $2(x+1)(x+4)$
18) $2(x-1)(x+3)$
19) $(2x+1)(x+4)$
20) $(2x-4)(2x+6)$

Capítulo 11: Geometría y Figuras Sólidas

Temas de matemáticas que aprenderás en este capítulo:

- ✓ El Teorema de Pitágoras
- ✓ Triangulos
- ✓ Polígonos
- ✓ Círculos
- ✓ Trapezoides
- ✓ Cubos
- ✓ Prismas Rectangulares
- ✓ Cilindro

El teorema de Pitágoras

¿Las siguientes longitudes forman un triángulo rectángulo?

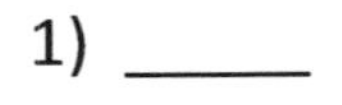

1) ______

3, 4, 6

2) ______

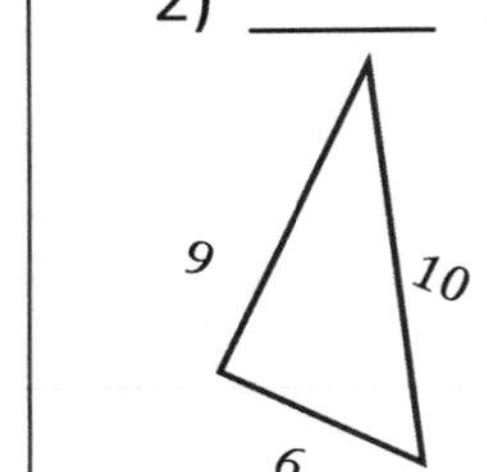

3) ______

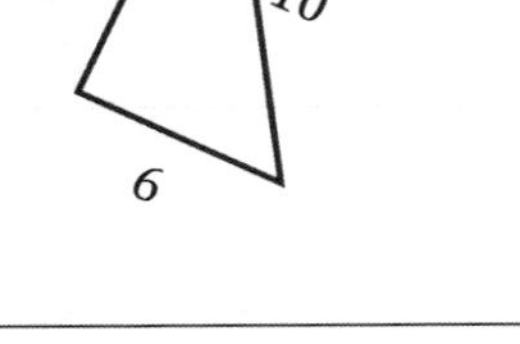

4) ______

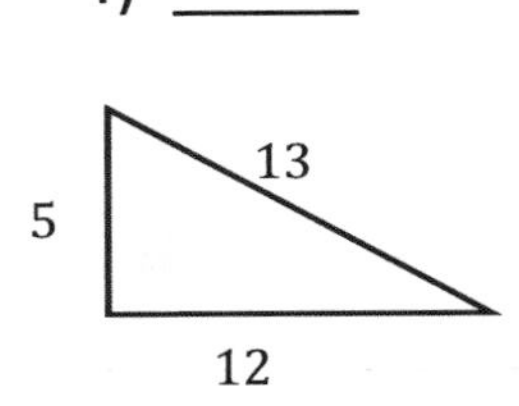

5) ______

9, 12, 4

6) ______

5, 20, 14

7) ______

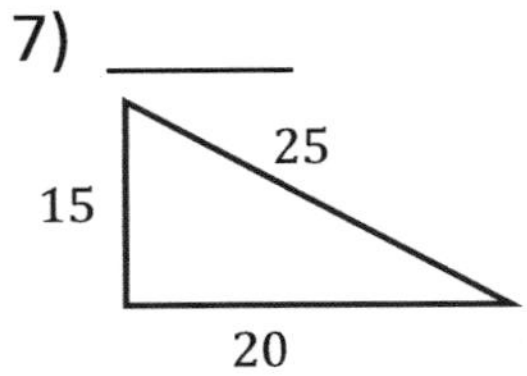

8) ______

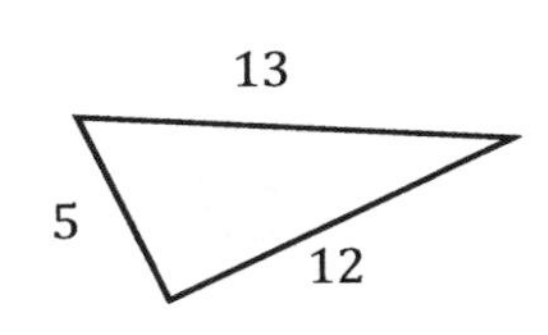

Encuentra el lado que falta.

9) ______

20, ?, 15

10) ______

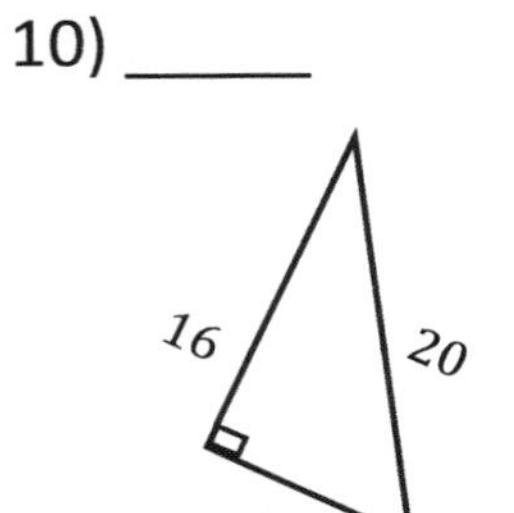

11) ______

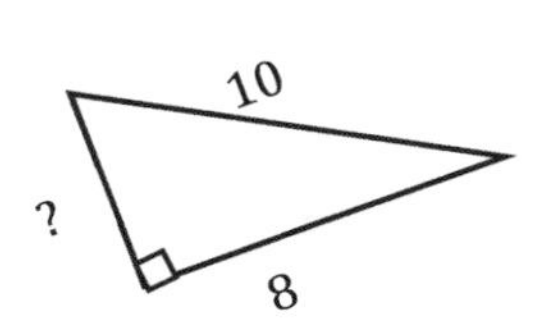

12) ______

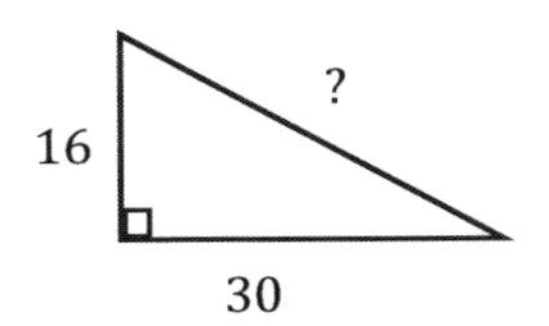

13) ______

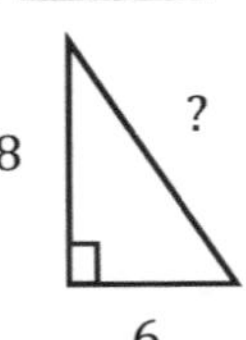

14) ______

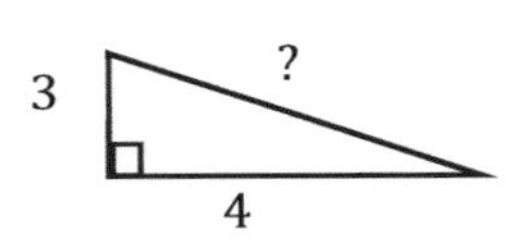

15) ______

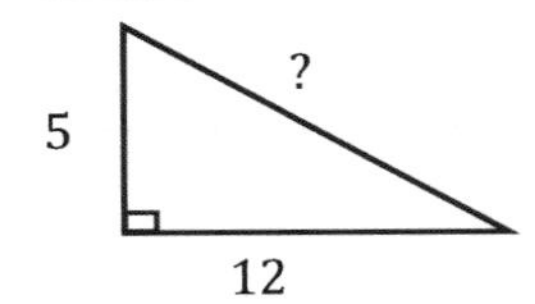

16) ______

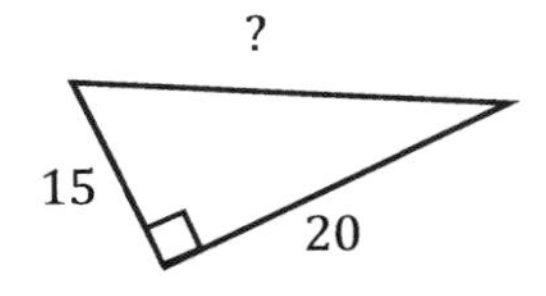

Triángulos

Encuentra la medida del ángulo desconocido en cada triángulo.

1) ______ 2) ______ 3) ______ 4) ______

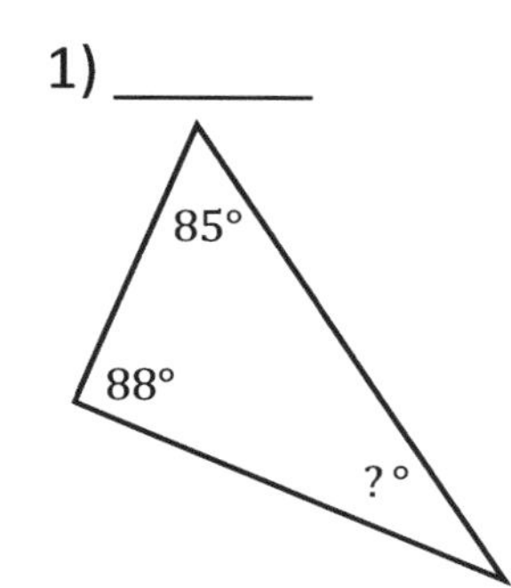

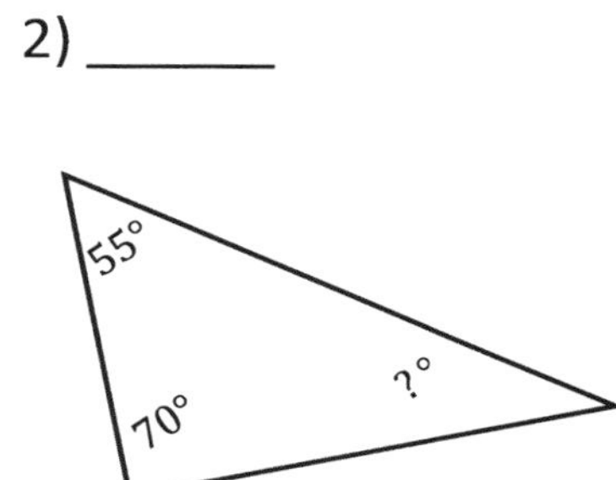

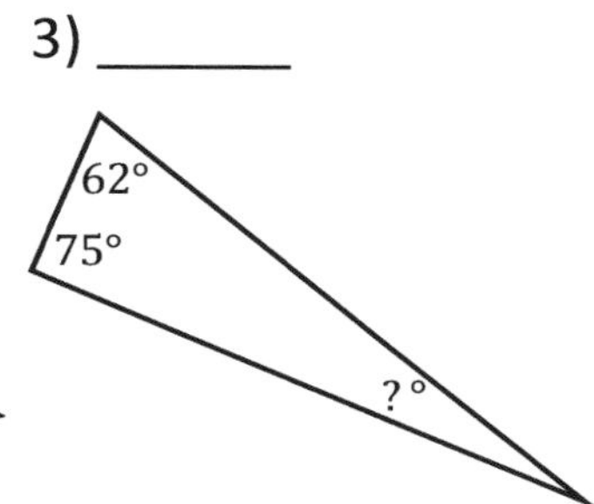

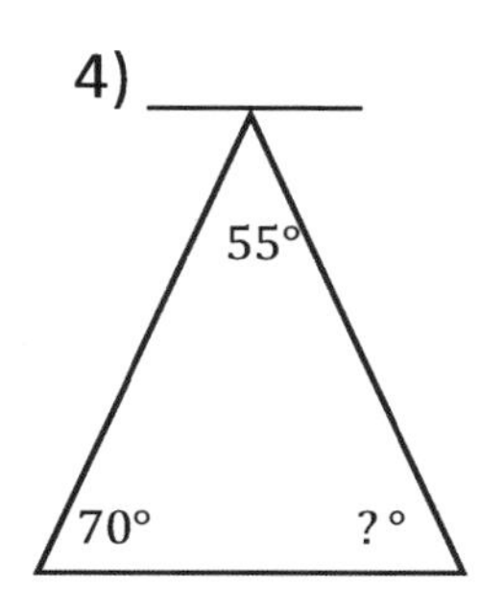

5) ______ 6) ______ 7) ______ 8) ______

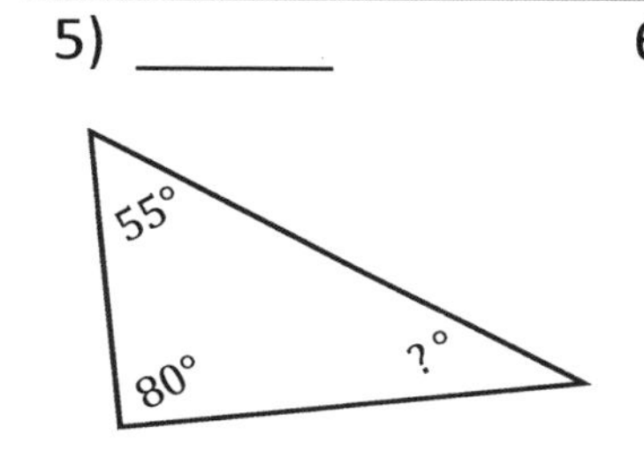

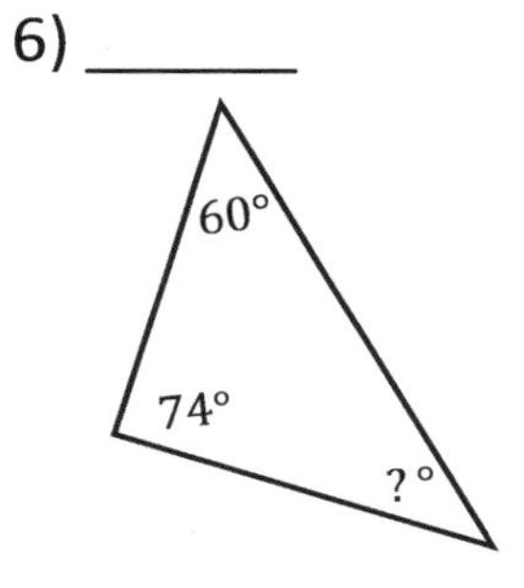

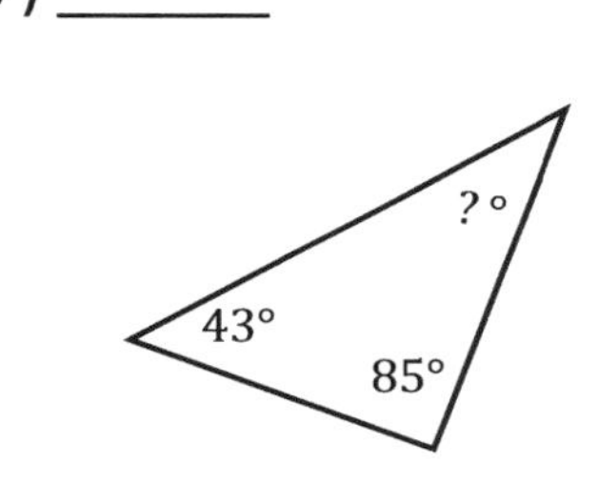

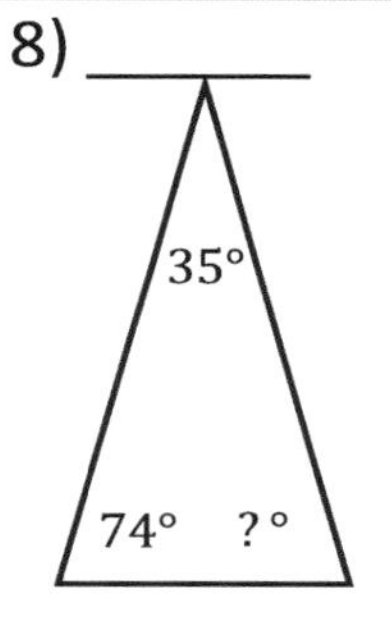

Calcula el área de cada triángulo.

9) ______ 10) ______ 11) ______ 12) ______

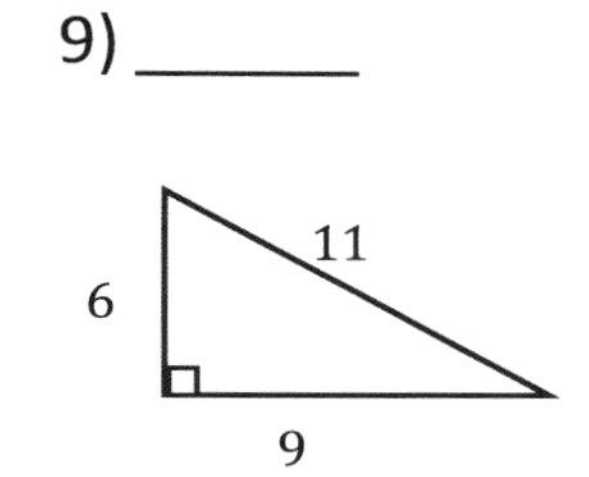

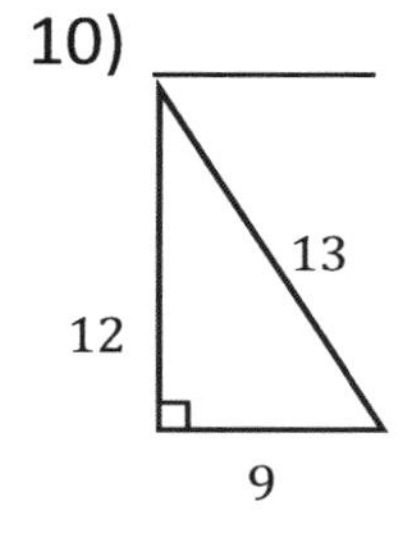

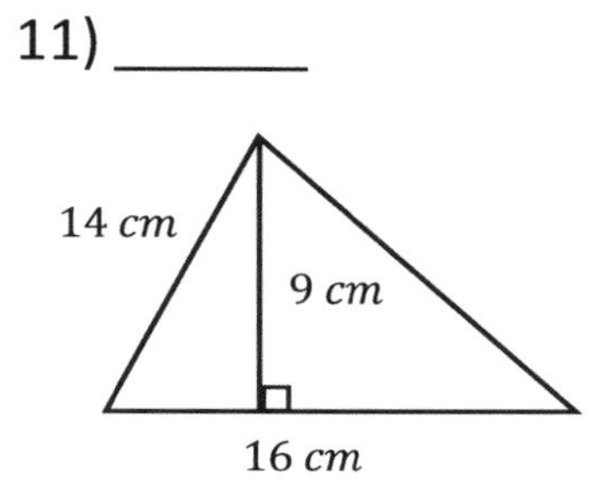

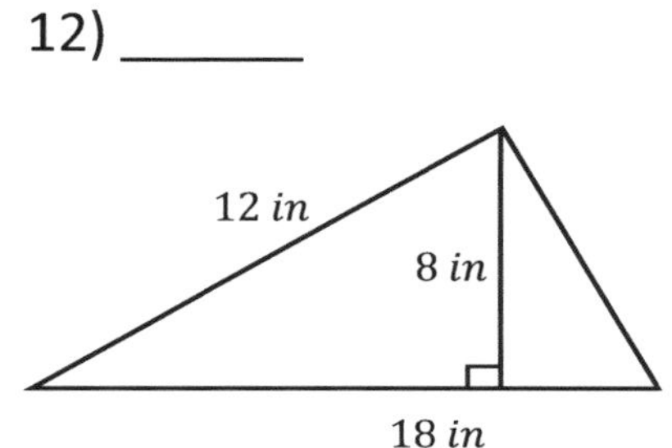

Polígonos

Encuentra el perímetro de cada figura.

1) (cuadrado) ______

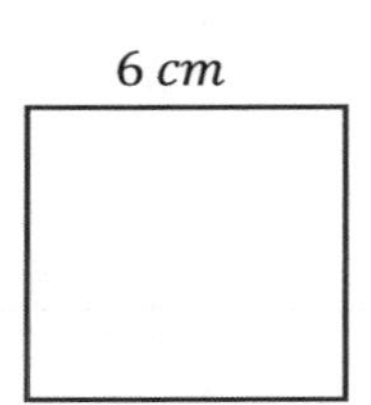

2) ______

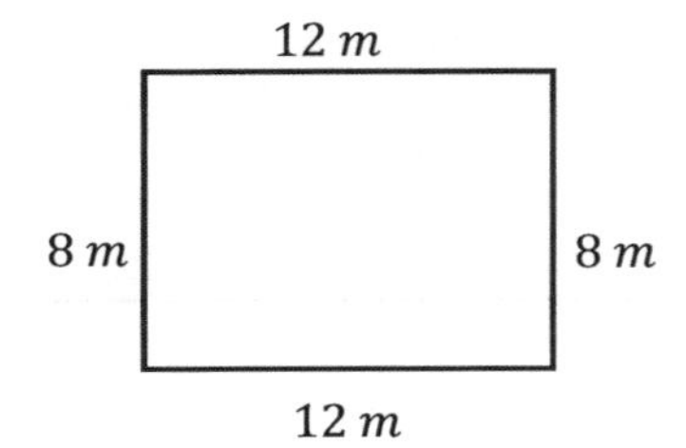

3) ______

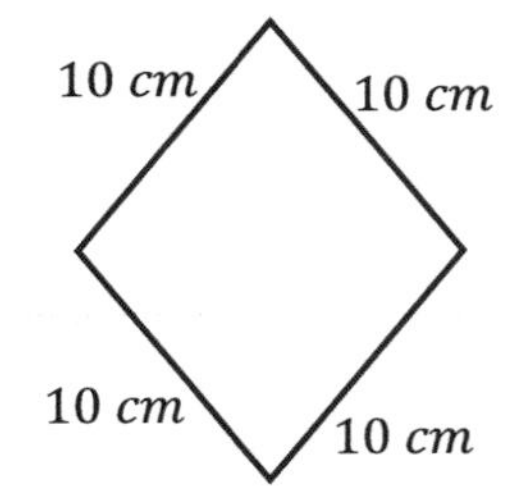

4) (cuadrado) ______

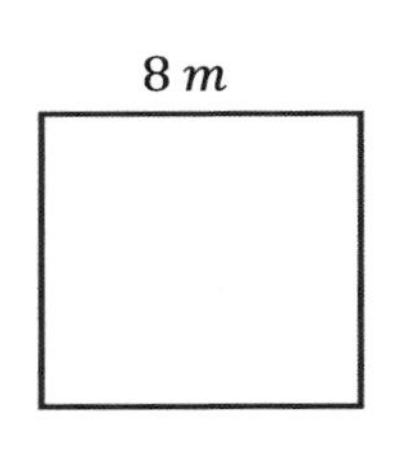

5) (hexágono regular) ______

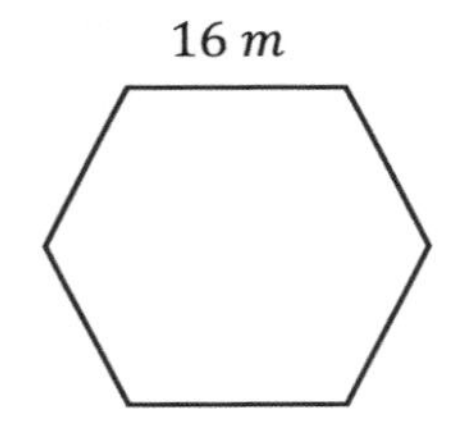

6) ______

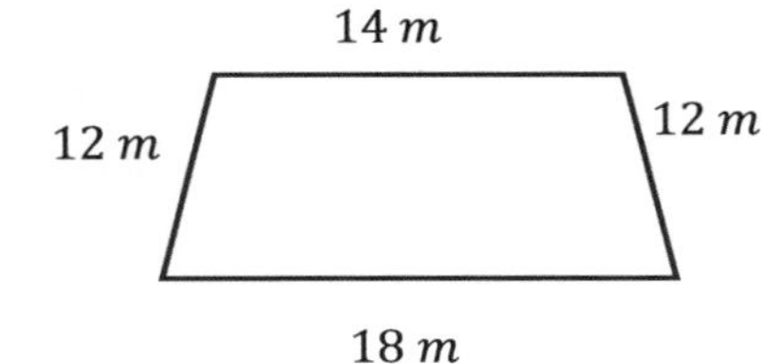

7) (paralelogramo) ______

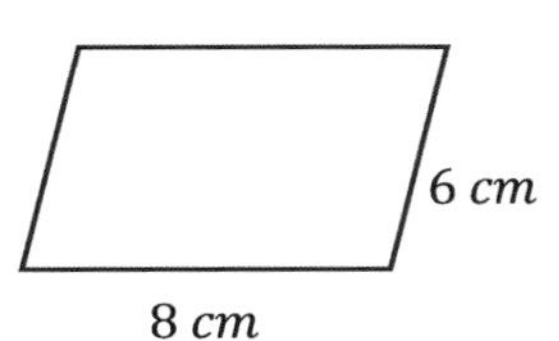

8) (hexágono regular) ______

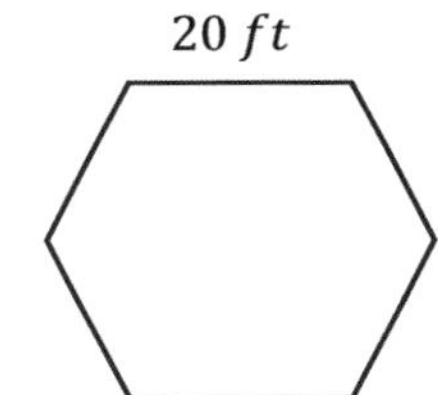

9) ______

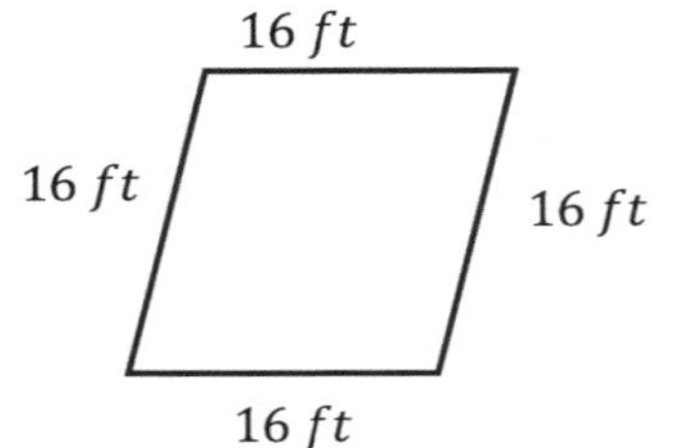

10) ______

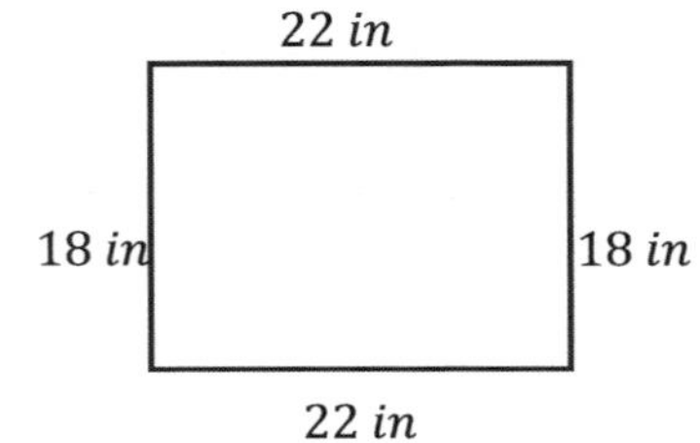

11) ______

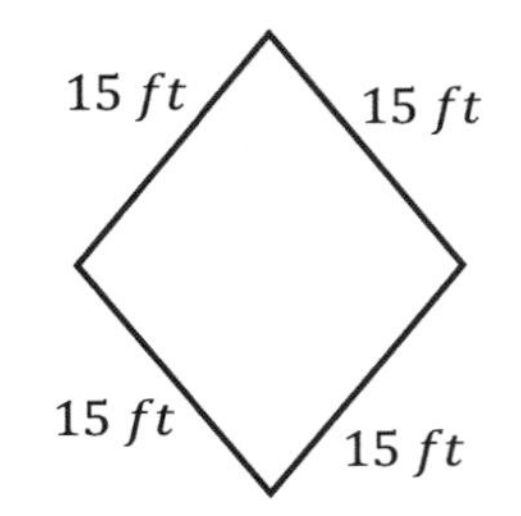

12) (hexágono regular) ______

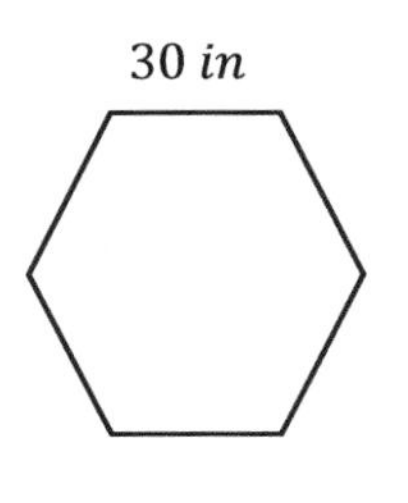

Círculos

Encuentra la circunferencia de cada círculo. $(\pi = 3.14)$

1) ____ 2) ____ 3) ____ 4) ____ 5) ____ 6) ____

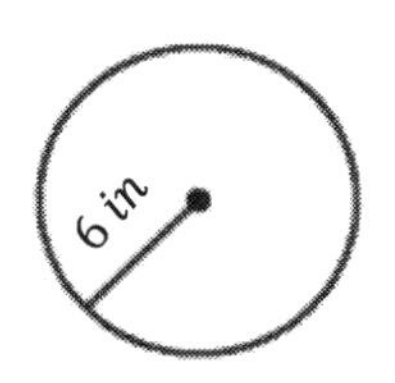

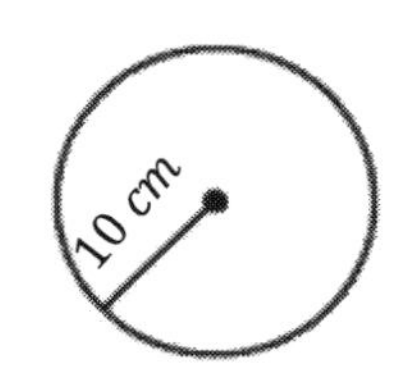

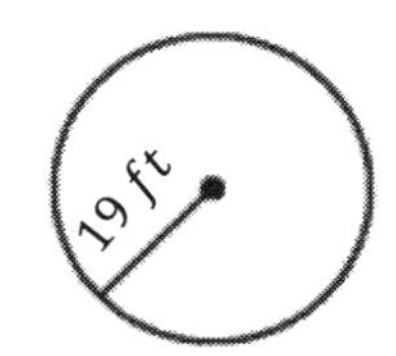

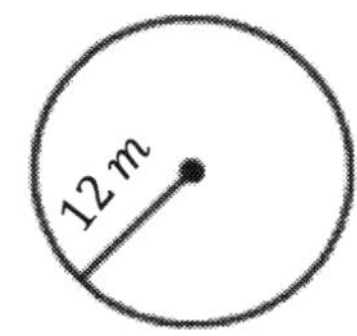

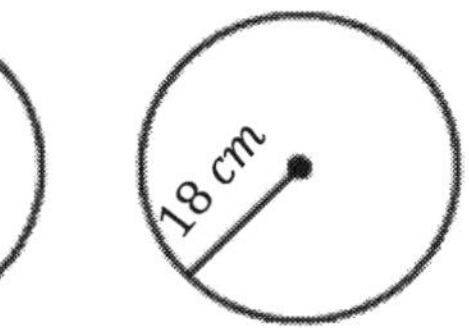

7) ____ 8) ____ 9) ____ 10) ____ 11) ____ 12) ____

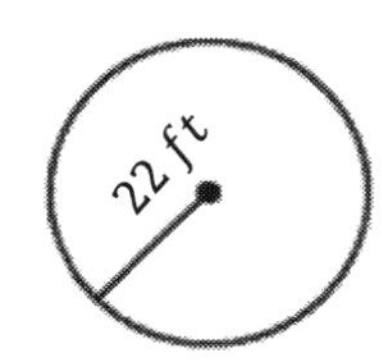

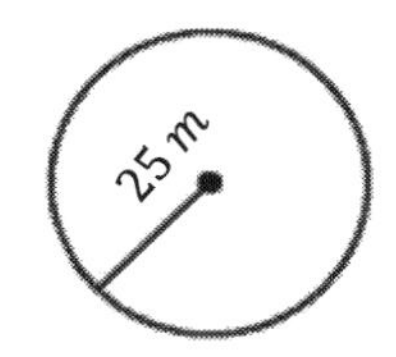

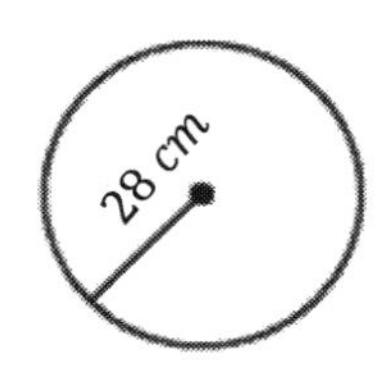

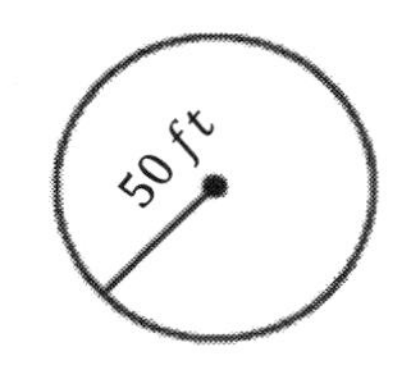

Completa la tabla de abajo. $(\pi = 3.14)$

	Radio	Diámetro	Circunferencia	Área
Círculo 1	2 pulgadas	4 pulgadas	12.56 pulgadas	12.56 pulgadas cuadradas
Círculo 2		8 metros		
Círculo 3				113.04 pies cuadrados
Círculo 4			50.24 millas	
Círculo 5		9 kilómetros		
Círculo 6	7 centímetros			
Círculo 7		18 pies		
Círculo 8				78.5 metros cuadrados
Círculo 9			69.08 pulgadas	
Círculo 10	10 pies			

Encuentra más en bit.ly/2M6PfOl

Cubos

Halla el volumen de cada cubo..

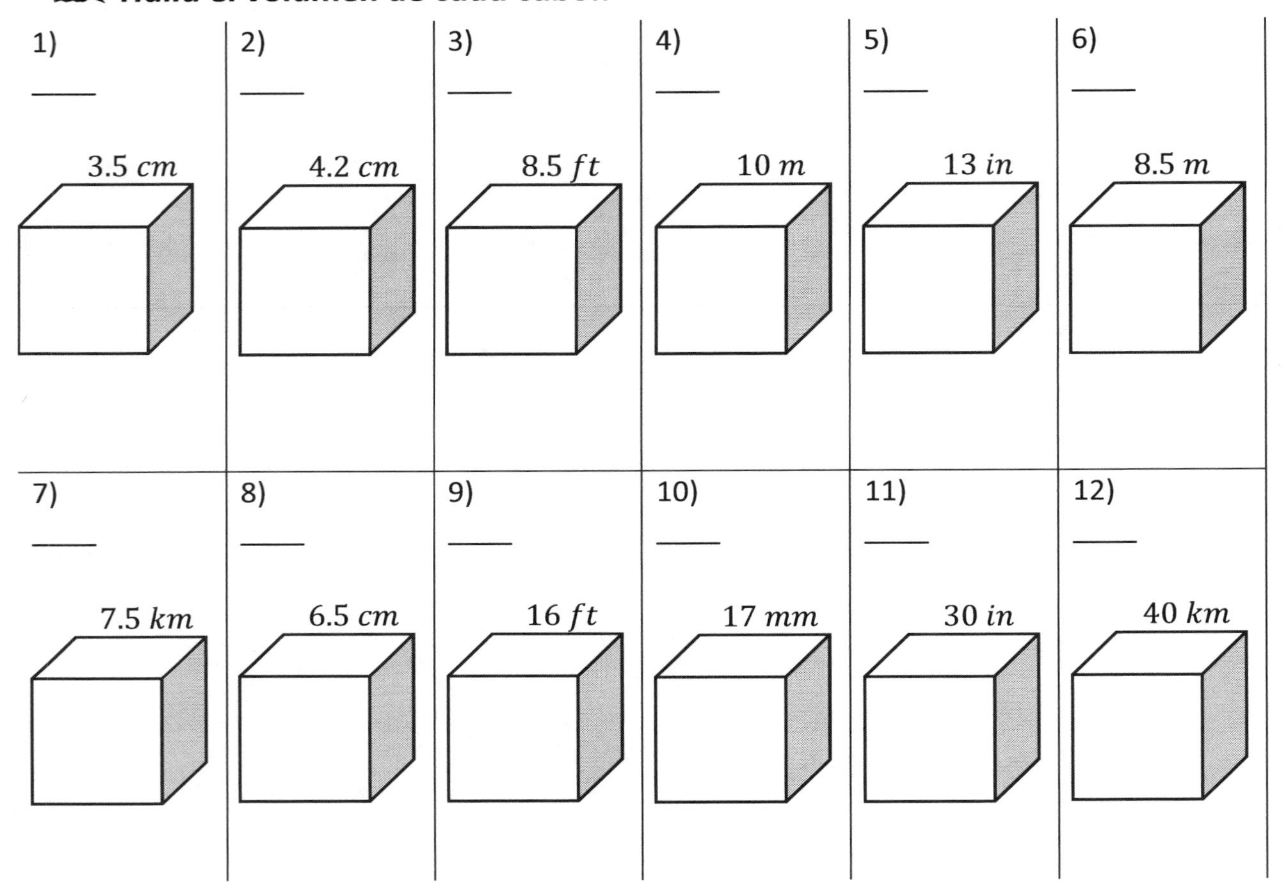

Encuentra el área de la superficie de cada cubo.

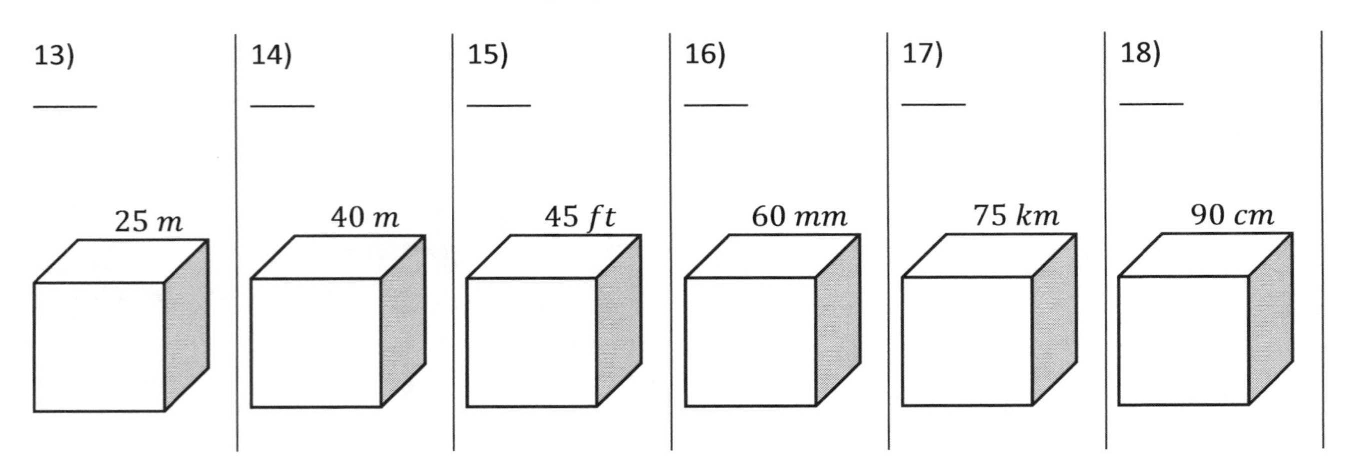

Trapecios

Halla el área de cada trapezoide.

1) ____ 2) ____ 3) ____ 4) ____

5) ____ 6) ____ 7) ____ 8) ____

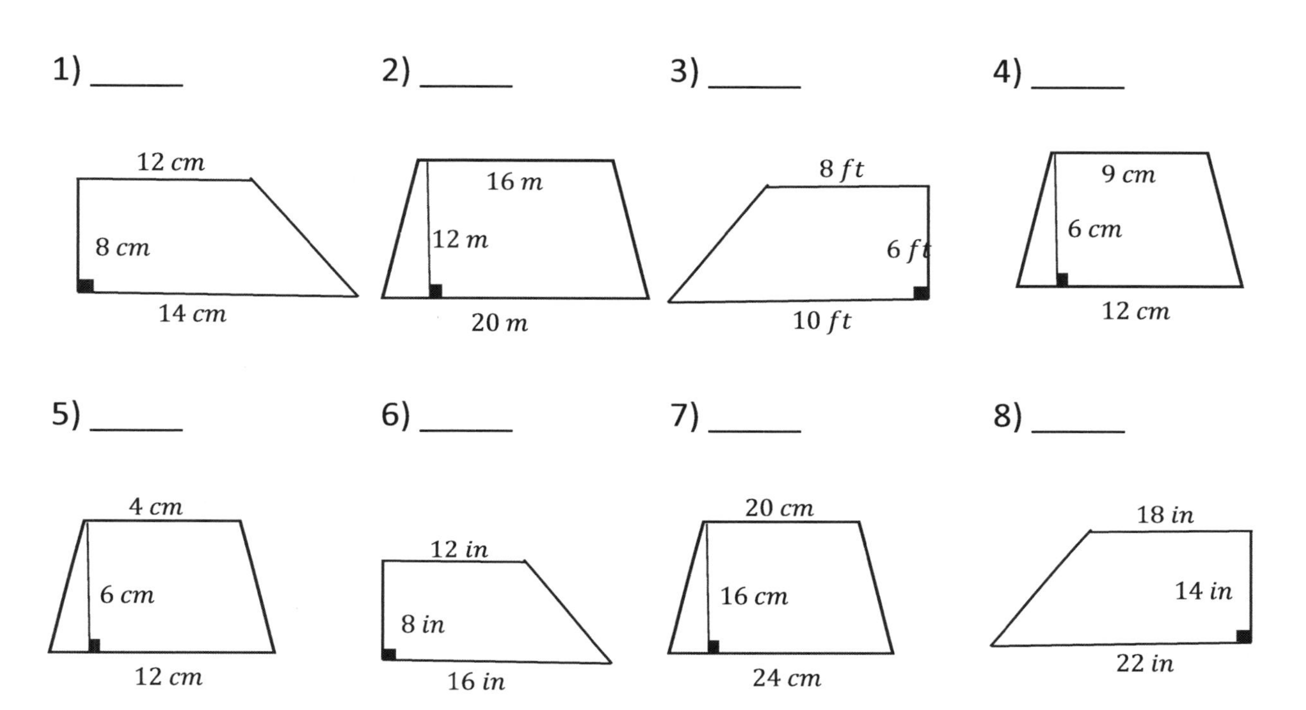

Resuelve.

9) Un trapezoide tiene un área de 78 cm^2 y su altura es de 10 cm y una base es de 8 cm. ¿Cuál es la otra longitud de la base? ________________

10) Si un trapezoide tiene un área de 160 ft^2 y las longitudes de las bases son 12 ft y 8 ft, encuentre la altura. ________________

11) Si un trapezoide tiene un área de 180 m^2 y su altura es de 8 m y una de sus bases mide 10 m, hallar la longitud de la otra base. ________________

12) El área de un trapezoide es de 150 ft^2y su altura es de 20 ft. Si una base del trapezoide mide 12 ft, ¿cuál es la longitud de la otra base? ________________

Prismas Rectangulares

Encuentra el volumen de cada prisma rectangular.

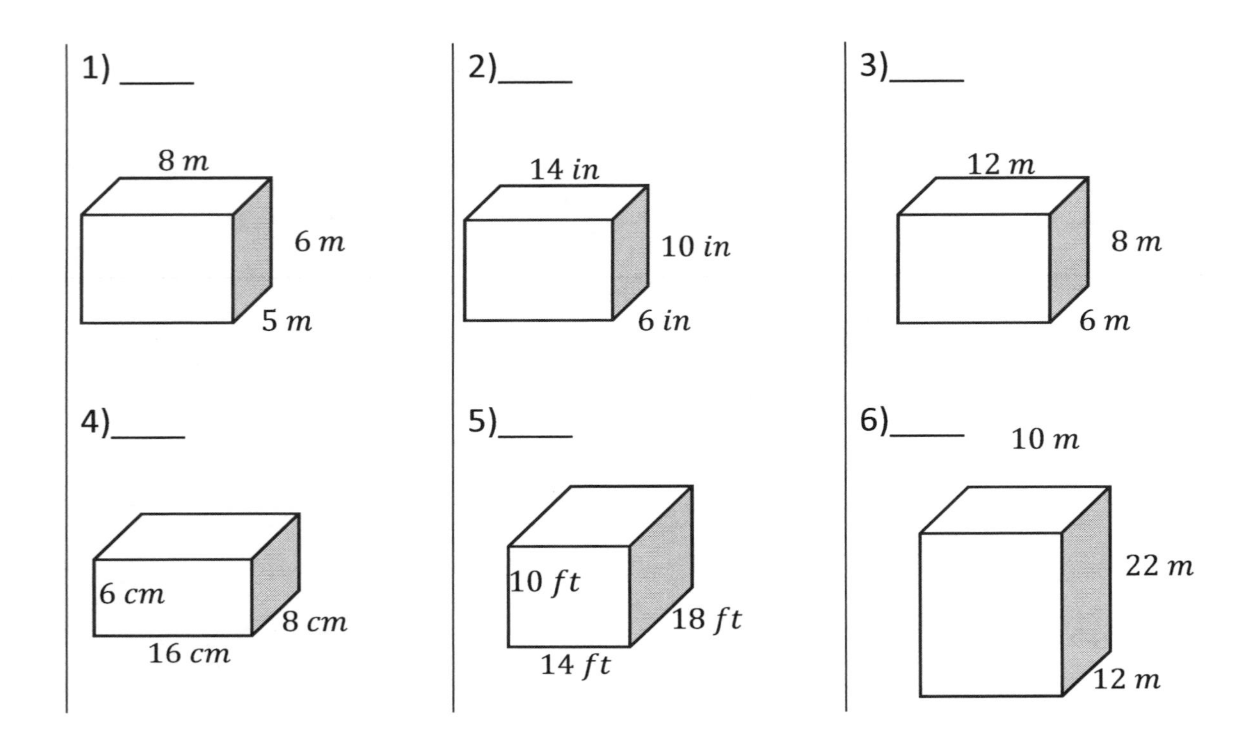

Encuentre el área de superficie de cada prisma rectangular.

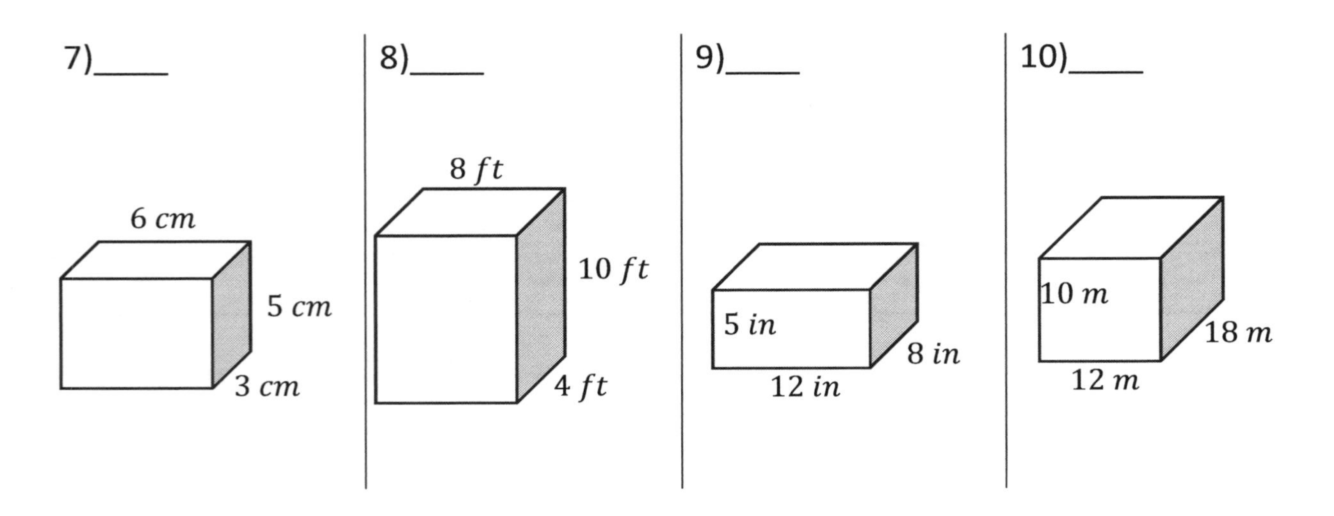

Encuentra más en bit.ly/37LtcVM

Cilindro

Encuentre el volumen de cada cilindro. $(\pi = 3.14)$

1) ______

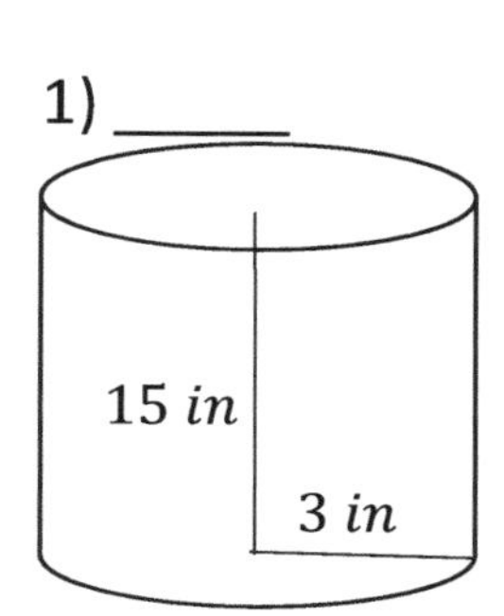

2) ______

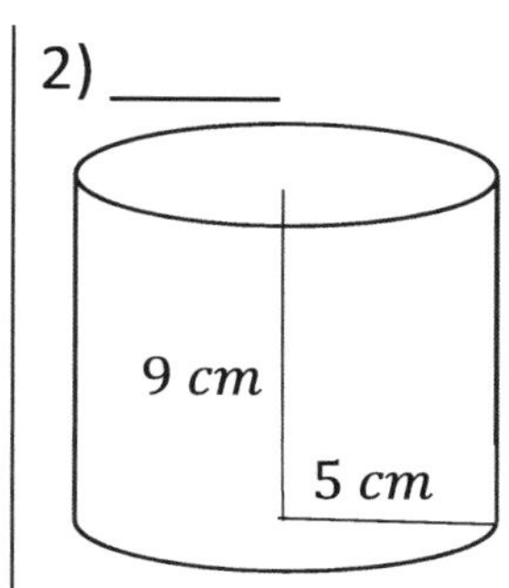

3) ______

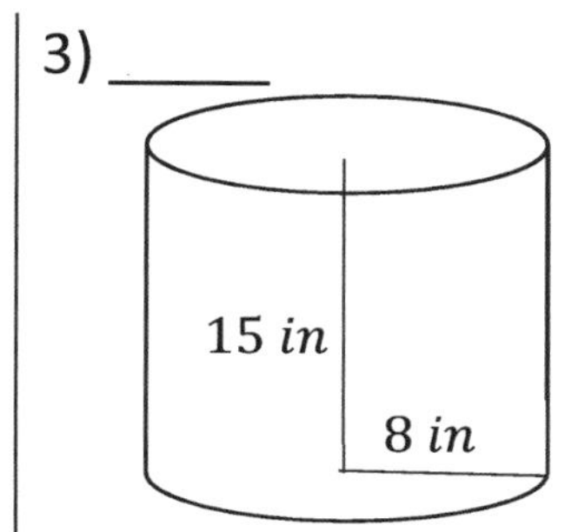

4) ______

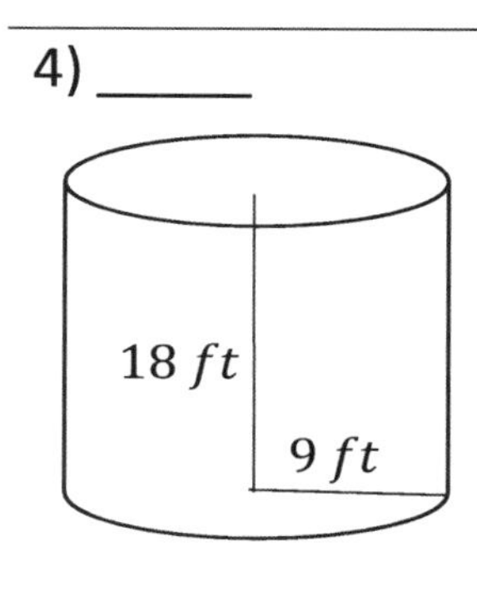

5) ______

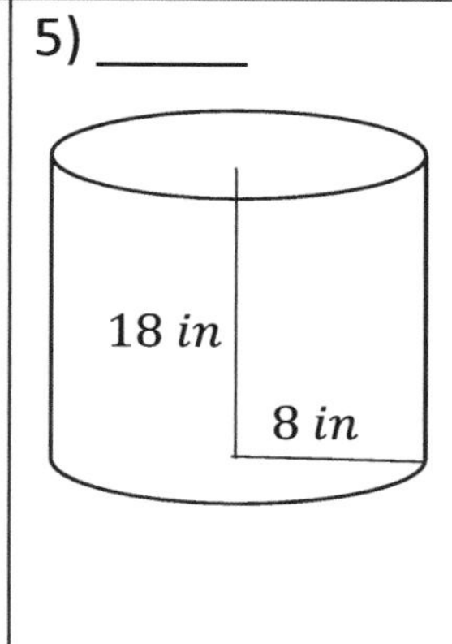

6) ______

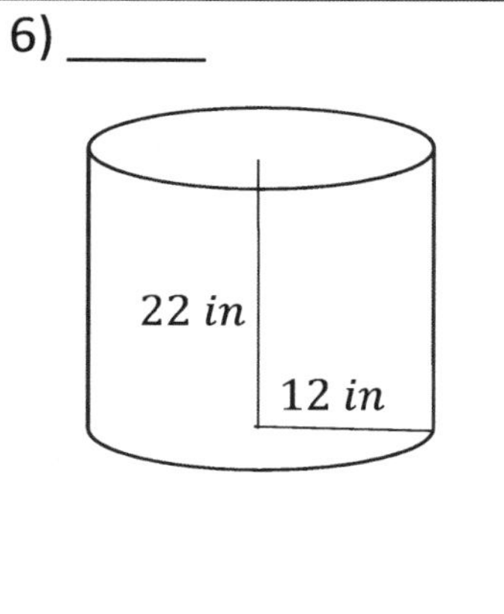

Encuentre el área de superficie de cada cilindro. $(\pi = 3.14)$

7) ______

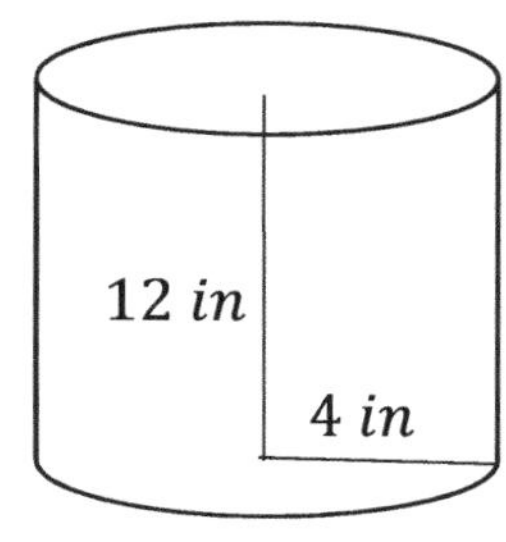

8) ______

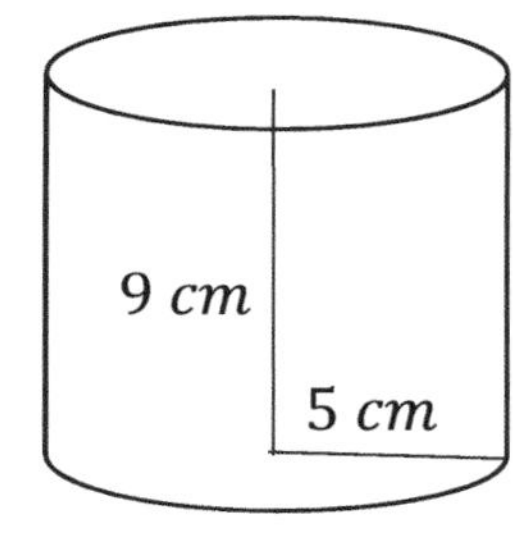

9) ______

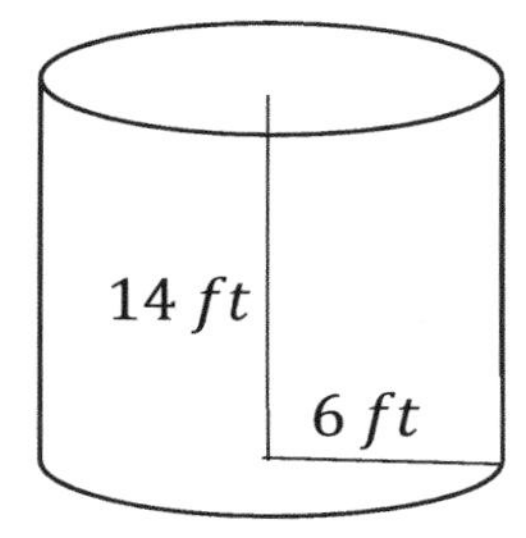

10)______

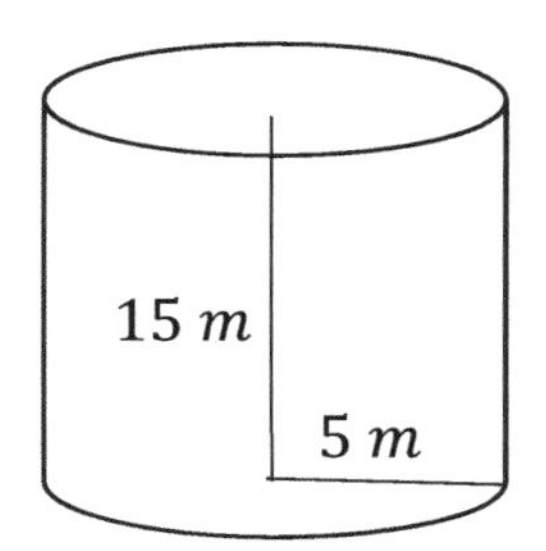

Respuestas – Capítulo 11

El teorema de Pitágoras

1) *no*
2) *no*
3) *no*
4) *sí*
5) *no*
6) *no*
7) *sí*
8) *sí*
9) 25
10) 12
11) 6
12) 34
13) 10
14) 5
15) 13
16) 25

Triángulos

1) 7°
2) 55°
3) 43°
4) 55°
5) 45°
6) 46°
7) 52°
8) 71°
9) 27
10) 54
11) $72\ cm^2$
12) $72\ in^2$

Polígonos

1) $24\ cm$
2) $40\ m$
3) $40\ cm$
4) $32\ m$
5) $96\ m$
6) $56\ m$
7) $28\ cm$
8) $120\ ft$
9) $64\ ft$
10) $80\ in$
11) $60\ ft$
12) $180\ in$

Círculos

1) $37.68\ in$
2) $62.8\ cm$
3) $119.32\ ft$
4) $75.36\ m$
5) $113.04\ cm$
6) $94.2\ millas$
7) $119.32\ in$
8) $138.16\ ft$
9) $157\ m$
10) $175.84\ m$
11) $219.8\ in$
12) $314\ ft$

	Radio	Diámetro	Circunferencia	Área
Círculo 1	2 pulgadas	4 pulgadas	12.56 pulgadas	12.56 pulgadas cuadradas
Círculo 2	4 metros	8 metros	25.12 metros	50.24 metros cuadrados
Círculo 3	6 pies	12 pies	37.68 pies	113.04 pies cuadrados
Círculo 4	8 millas	16 millas	50.24 millas	200.96 millas cuadradas
Círculo 5	4.5 kilómetros	9 kilómetros	28.26 kilómetros	63.585 kilómetros cuadrados
Círculo 6	7 centímetros	14 centímetros	43.96 centímetros	153.86 centímetros cuadrados
Círculo 7	9 pies	18 pies	56.52 pies	254.34 pies cuadrados
Círculo 8	5 metros	10 metros	31.4 metros	78.5 metros cuadrados
Círculo 9	11 pulgadas	22 pulgadas	69.08 pulgadas	379.94 pulgadas cuadradas
Círculo 10	10 pies	20 pies	62.8 pies	314 pies cuadrados

Cubos

1) $42.875\ cm^3$
2) $74.088\ cm^3$
3) $614.125\ ft^3$
4) $1{,}000\ m^3$
5) $2{,}197\ in^3$
6) $614.125\ m^3$
7) $421.875\ km^3$
8) $274.625\ cm^3$
9) $4{,}096\ ft^3$
10) $4{,}913\ mm^3$
11) $27{,}000\ in^3$
12) $64{,}000\ km^3$
13) $3{,}750\ m^2$
14) $9{,}600\ m^2$
15) $12{,}150\ ft^2$
16) $21{,}600\ mm^2$
17) $33{,}750\ km^2$
18) $48{,}600\ cm^2$

Trapecios

1) $104\ cm^2$
2) $216\ m^2$
3) $54\ ft^2$
4) $63\ cm^2$
5) $48\ cm^2$
6) $112\ in^2$
7) $352\ cm^2$
8) $280\ in^2$
9) $7.6\ cm$
10) $16\ ft$
11) $35\ m$
12) $3\ ft$

Prismas Rectangulares

1) $240\ m^3$
2) $840\ in^3$
3) $576\ m^3$
4) $768\ cm^3$
5) $2{,}520\ ft^3$
6) $2{,}640\ m^3$
7) $126\ cm^2$
8) $304\ ft^2$
9) $392\ in^2$
10) $1{,}032\ m^2$

Cilindro

1) $423.9\ in^3$
2) $706.5\ cm^3$
3) $3{,}014.4\ in^3$
4) $4{,}578.12\ ft^3$
5) $3{,}617.28\ in^3$
6) $9{,}947.52\ in^3$
7) $401.92\ in^2$
8) $439.6\ cm^2$
9) $753.6\ ft^2$
10) $628\ m^2$

Capítulo 12: Estadística

Temas de matemáticas que aprenderás en este capítulo:

- ✓ Media, Mediana, Moda y Rango de los Datos Dados
- ✓ Gráfico de Torta
- ✓ Problemas de Probabilidad
- ✓ Permutaciones y Combinaciones

Encuentra más en
bit.ly/2KO86gg

Media, Mediana, Moda y rango de los Datos Dados

Encuentre los valores de los datos dados.

1) $5, 12, 2, 2, 6$

Moda: _____ Rango: _____

Media: _____ Mediana: _____

2) $5, 9, 3, 6, 4, 3$

Moda: _____ Rango: _____

Media: _____ Mediana: _____

3) $12, 5, 8, 7, 8$

Moda: _____ Rango: _____

Media: _____ Mediana: _____

4) $9, 7, 12, 7, 3, 4$

Moda: _____ Rango: _____

Media: _____ Mediana: _____

5) $9, 7, 10, 5, 7, 4, 14$

Moda: _____ Rango: _____

Media: _____ Mediana: _____

6) $8, 1, 6, 6, 9, 2, 17$

Moda: _____ Rango: _____

Media: _____ Mediana: _____

7) $14, 5, 2, 7, 10, 7, 8, 13$

Moda: _____ Rango: _____

Media: _____ Mediana: _____

8) $12, 14, 6, 4, 10, 8, 2$

Moda: _____ Rango: _____

Media: _____ Mediana: _____

9) $17, 13, 16, 12, 14, 24$

Moda: _____ Rango: _____

Media: _____ Mediana: _____

10) $18, 15, 10, 8, 4, 7, 8, 18$

Moda: _____ Rango: _____

Media: _____ Mediana: _____

Gráfico de Torta

El siguiente gráfico circular muestra todos los gastos de Wilson durante el último mes. Wilson gastó $300 en sus cuentas el mes pasado.

Responda las siguientes preguntas según el gráfico circular.

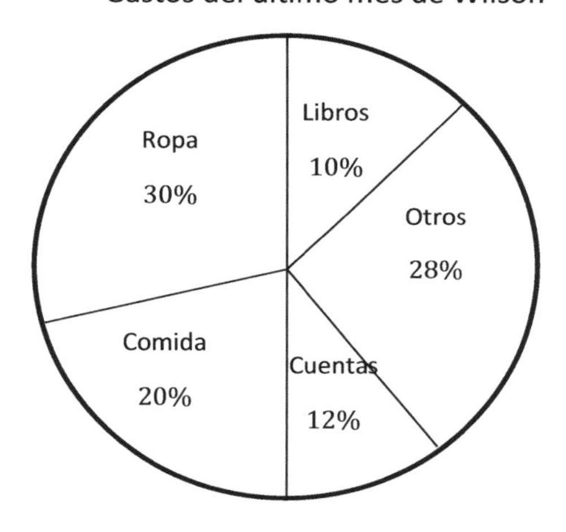

1) ¿A cuánto ascendieron los gastos totales de Wilson el mes pasado? _____

2) ¿Cuánto gastó Wilson en su ropa el mes pasado? ________________

3) ¿Cuánto gastó Wilson en alimentos el mes pasado? ___________________

4) ¿Cuánto gastó Wilson en sus libros el mes pasado? _________________

5) ¿Qué fracción son los gastos de Wilson para sus cuentas y ropa de sus gastos totales el mes pasado? ______________________

Problemas de Probabilidad

1) Si hay 15 pelotas rojas y 30 pelotas azules en una canasta, ¿cuál es la probabilidad de que Oliver saque una pelota roja de la canasta? ____________

Género	Por debajo de 45	45 o mayor	Total
Male	12	6	18
Female	5	7	12
Total	17	13	30

2) La tabla anterior muestra la distribución de edad y género para 30 empleados en una empresa. Si se selecciona un empleado al azar, ¿cuál es la probabilidad de que el empleado seleccionado sea una mujer menor de 45 años o un hombre de 45 años o más?

____

3) Se elige un número al azar del 1 al 18. Halla la probabilidad de no seleccionar un número compuesto. (Un número compuesto es un número que es divisible por sí mismo, 1 y al menos otro número entero) ____________

4) Hay 6 canicas azules, 8 canicas rojas y 5 canicas amarillas en una caja. Si Ava selecciona al azar una canica de la caja, ¿cuál es la probabilidad de seleccionar una canica roja o amarilla? ____________

5) Una bolsa contiene 20 bolas: tres verdes, seis negras, ocho azules, una marrón, una roja y una blanca. Si se sacan 19 bolas de la bolsa al azar, ¿cuál es la probabilidad de que se haya sacado una bola marrón? ____________

6) Solo hay canicas rojas y azules en una caja. La probabilidad de sacar al azar una canica roja de la caja es de un tercio. Si hay 160 canicas azules, ¿cuántas canicas hay en la caja?

____

Permutaciones y Combinaciones

Calcular el valor de cada uno.

1) $5! =$ ____
2) $6! =$ ____
3) $8! =$ ____
4) $5! + 6! =$ ____
5) $8! + 3! =$ ____
6) $6! + 7! =$ ____
7) $8! + 4! =$ ____
8) $9! - 3! =$ ____

Resolver cada problema verbal.

9) Sophia está horneando galletas. Ella usa leche, harina y huevos. ¿Cuántas órdenes diferentes de ingredientes puede probar? _____
10) William está planeando sus vacaciones. Quiere ir a un restaurante, ver una película, ir a la playa y jugar baloncesto. ¿Cuántas formas diferentes de ordenar hay para él? _____
11) ¿Cuántos números de 7 dígitos se pueden nombrar usando los dígitos 1,2,3,4,5,6 y 7 sin repetición? _____
12) ¿De cuántas maneras se pueden colocar 9 niños en línea recta? _____
13) ¿De cuántas maneras se pueden colocar 8 atletas en línea recta? _____
14) Una profesora va a colocar a sus 6 alumnos en línea recta. ¿De cuántas maneras puede hacer esto? _____
15) ¿Cuántos símbolos de código se pueden formar con las letras de la palabra AZUL? _____
16) ¿De cuántas maneras un equipo de 8 jugadores de baloncesto puede elegir un capitán y un co-capitán? _____

Respuestas – Capítulo 12

Media, mediana, moda y rango de los datos dados

1) Moda: 2	Rango: 10	Media: 5.4	Mediana: 5
2) Moda: 3	Rango: 6	Media: 5	Mediana: 4.5
3) Moda: 8	Rango: 7	Media: 8	Mediana: 8
4) Moda: 7	Rango: 9	Media: 7	Mediana: 7
5) Moda: 7	Rango: 10	Media: 8	Mediana: 7
6) Moda: 6	Rango: 16	Media: 7	Mediana: 6
7) Moda: 7	Rango: 12	Media: 8.25	Mediana: 7.5
8) Moda: *no mode*	Rango: 12	Media: 8	Mediana: 8
9) Moda: *no mode*	Rango: 12	Mean: 16	Mediana: 15
10) Moda: 8,18	Rango: 14	Media: 11	Mediana: 9

Gráfico de Torta

1) \$2,500
2) \$750
3) \$500
4) \$250
5) $\frac{21}{50}$

Problemas de Probabilidad

1) $\frac{1}{3}$

2) $\frac{11}{30}$

3) $\frac{7}{18}$

4) $\frac{13}{19}$

5) $\frac{19}{20}$

6) 240

Permutaciones y Combinaciones

1) 120
2) 720
3) 40,320
4) 840
5) 40,326
6) 5,760
7) 40,344
8) 362,874
9) 6
10) 24
11) 5,040
12) 362,880
13) 40,320
14) 720
15) 24
16) 56

Capítulo 13: Operaciones de Funciones

Temas de matemáticas que aprenderás en este capítulo:

- ✓ Notación y Evaluación de funciones
- ✓ Suma y Resta de Funciones
- ✓ Multiplicación y División de Funciones
- ✓ Composición de Funciones

Encuentra más en

bit.ly/3mls7lF

Notación y Evaluación de Funciones

Evalúa cada función.

1) $f(x) = x - 3$, busca $f(-2)$

_____

2) $g(x) = x + 5$, busca $g(6)$

_____

3) $h(x) = x + 8$, busca $h(2)$

_____

4) $f(x) = -x - 7$, busca $f(5)$

_____

5) $f(x) = 2x - 7$, busca $f(-1)$

_____

6) $w(x) = -2 - 4x$, busca $w(5)$

_____

7) $g(n) = 6n - 3$, busca $g(-2)$

_____

8) $h(x) = -8x + 12$, busca $h(3)$

_____

9) $k(n) = 14 - 3n$, busca $k(3)$

_____

10) $g(x) = 4x - 4$, busca $g(-2)$

_____

11) $k(n) = 8n - 7$, busca $k(4)$

_____

12) $w(n) = -2n + 14$, busca $w(5)$

_____

13) $h(x) = 5x - 18$, busca $h(8)$

_____

14) $g(n) = 2n^2 + 2$, busca $g(5)$

_____

15) $f(x) = 3x^2 - 13$, busca $f(2)$

_____

16) $g(n) = 5n^2 + 7$, busca $g(-3)$

_____

17) $h(n) = 5n^2 - 10$, busca $h(4)$

_____

18) $g(x) = -3x^2 - 6x$, busca $g(2)$

_____

19) $k(n) = 4n^3 + n$, busca $k(-5)$

_____

20) $f(x) = -3x + 10$, busca $f(3x)$

_____

21) $k(a) = 4a + 9$, busca $k(a - 1)$

_____

22) $h(x) = 8x + 4$, busca $h(5x)$

_____

Encuentra más en

bit.ly/3hdeFVO

Suma y Resta de Funciones

Realiza la operación indicada.

1) $f(x) = x + 4$

   $g(x) = 2x + 5$

   Busca $(f - g)(2)$

   _____

2) $g(x) = x - 2$

   $f(x) = -x - 6$

   Busca $(g - f)(-2)$

   _____

3) $h(t) = 4t + 4$

   $g(t) = 3t + 2$

   Busca $(h + g)(-1)$

   _____

4) $g(a) = 5a - 7$

   $f(a) = a^2 + 3$

   Busca $(g + f)(2)$

   _____

5) $g(x) = 4x - 5$

   $f(x) = 6x^2 + 5$

   Busca $(g - f)(-2)$

   _____

6) $h(x) = x^2 + 3$

   $g(x) = -4x + 1$

   Busca $(h + g)(4)$

   _____

7) $f(x) = -3x - 9$

   $g(x) = x^2 + 5$

   Busca $(f - g)(6)$

   _____

8) $h(n) = -4n^2 + 9$

   $g(n) = 5n + 6$

   Busca $(h - g)(5)$

   _____

9) $g(x) = 4x^2 - 3x - 1$

   $f(x) = 6x + 10$

   Busca $(g - f)(a)$

   _____

10) $g(t) = -6t - 7$

   $f(t) = -t^2 + 3t + 15$

   Busca $(g + f)(t)$

   _____

Encuentra más en

bit.ly/3ph7kHA

Multiplicación y División de Funciones

Realiza la operación indicada.

1) $g(x) = x + 6$
   $f(x) = x + 4$
   Busca $(g.f)(2)$

______

2) $f(x) = 3x$
   $h(x) = -x + 5$
   Busca $(f.h)(-2)$

______

3) $g(a) = a + 5$
   $h(a) = 2a - 4$
   Busca $(g.h)(4)$

______

4) $f(x) = 3x + 2$
   $h(x) = 2x - 3$
   Busca $(\frac{f}{h})(2)$

______

5) $f(x) = a^2 - 2$
   $g(x) = -4 + 3a$
   Busca $(\frac{f}{g})(2)$

______

6) $g(a) = 4a + 6$
   $f(a) = 2a - 8$
   Busca $(\frac{g}{f})(3)$

______

7) $g(t) = t^2 + 6$
   $h(t) = 2t - 3$
   Busca $(g.h)(-3)$

______

8) $g(x) = x^2 + 3x + 4$
   $h(x) = 2x + 6$
   Busca $(g.h)(2)$

______

9) $g(a) = 2a^2 - 5a + 1$
   $f(a) = 2a^3 - 6$
   Busca $(\frac{g}{f})(4)$

______

10) $g(x) = -3x^2 + 4 - 2x$
   $f(x) = x^2 - 5$
   Busca $(g.f)(3)$

______

Composición de Funciones

Usando $f(x) = x + 6$ y $g(x) = 3x$, busca:

1) $f(g(1)) =$ ____

2) $f(g(-1)) =$ ____

3) $g(f(-3)) =$ ____

4) $g(f(4)) =$ ____

5) $f(g(2)) =$ ____

6) $g(f(3)) =$ ____

Usando $f(x) = 2x + 5$ y $g(x) = x - 2$, busca:

7) $g(f(2)) =$ ____

8) $g(f(-2)) =$ ____

9) $f(g(5)) =$ ____

10) $f(f(4)) =$ ____

11) $g(f(3)) =$ ____

12) $g(f(-3)) =$ ____

Usando $f(x) = 4x - 2$ y $g(x) = x - 5$, busca:

13) $g(f(-2)) =$ ____

14) $f(f(4)) =$ ____

15) $f(g(5)) =$ ____

16) $f(f(3)) =$ ____

17) $g(f(-3)) =$ ____

18) $g(g(6)) =$ ____

Usando $f(x) = 6x + 2$ y $g(x) = 2x - 3$, busca:

19) $f(g(-3)) =$ ____

20) $g(f(5)) =$ ____

21) $f(g(4)) =$ ____

22) $f(f(3)) =$ ____

Respuestas – Capítulo 13

Notación y Evaluación de Funciones

1) -5
2) 11
3) 10
4) -12
5) -9
6) -22
7) -15
8) -12
9) 5
10) -12
11) 25
12) 4
13) 22
14) 52
15) -1
16) 52
17) 70
18) -24
19) -505
20) $-9x+10$
21) $4a+5$
22) $40x+4$

Suma y Resta de Funciones

1) -3
2) 0
3) -1
4) 10
5) -42
6) 4
7) -68
8) -122
9) $4a^2-9a-11$
10) $-t^2-3t+8$

Multiplicación y División de Funciones

1) 48
2) -42
3) 36
4) 8
5) 1
6) -9
7) -135
8) 140
9) $\frac{13}{122}$
10) -116

Composición de Funciones

1) $f(g(1)) = 9$
2) $f(g(-1)) = 3$
3) $g(f(-3)) = 9$
4) $g(f(4)) = 30$
5) $f(g(2)) = 12$
6) $g(f(3)) = 27$
7) $g(f(2)) = 7$
8) $g(f(-2)) = -1$
9) $f(g(5)) = 11$
10) $f(f(4)) = 31$
11) $g(f(3)) = 9$
12) $g(f(-3)) = -3$
13) $g(f(-2)) = -15$
14) $f(f(4)) = 54$
15) $f(g(5)) = -2$
16) $f(f(3)) = 38$
17) $g(f(-3)) = -19$
18) $g(g(6)) = -4$
19) $f(g(-3)) = -52$
20) $g(f(5)) = 61$
21) $f(g(4)) = 32$
22) $f(f(3)) = 122$

Tiempo de Prueba

Tiempo de prueba

Es hora de refinar su habilidad con un examen de práctica.

En este libro, hay cinco pruebas de matemáticas HiSET completas. Tome una prueba de matemáticas REAL HiSET para simular la experiencia del día de la prueba. Una vez que haya terminado, califique su prueba usando la clave de respuestas.

Antes de que empieces

- Necesitará un lápiz, una calculadora y un cronómetro para realizar el examen.
- Está bien adivinar. No perderás ningún punto si te equivocas. Así que asegúrese de responder a todas las preguntas.
- Una vez que haya terminado la prueba, revise la clave de respuestas para ver dónde se equivocó.
- **Se permiten calculadoras para la prueba de matemáticas HiSET**.
- Use la hoja de respuestas provista para registrar sus respuestas.
- La prueba de Matemáticas HiSET contiene una hoja de fórmulas que muestra fórmulas relacionadas con medidas geométricas y ciertos conceptos de álgebra. Las fórmulas se proporcionan a los examinados para que puedan concentrarse en la aplicación, en lugar de la memorización, de las fórmulas.
- Para cada pregunta de opción múltiple, hay cinco respuestas posibles. Elige cuál es mejor.

Buena Suerte!

Prueba de Práctica de Matemáticas HiSET 1

2023

Número total de preguntas: 55

Tiempo total (Calculadora): 90 Minutos

Se permiten calculadoras para la prueba de matemáticas HiSET.

133

Hoja de respuestas de las pruebas de práctica de matemáticas de HiSET

Retire (o fotocopie) esta hoja de respuestas y utilícela para completar el examen de práctica.

Hoja de respuestas del examen de práctica de matemáticas HiSET 1

1	Ⓐ Ⓑ Ⓒ Ⓓ Ⓔ	21	Ⓐ Ⓑ Ⓒ Ⓓ Ⓔ	41	Ⓐ Ⓑ Ⓒ Ⓓ Ⓔ
2	Ⓐ Ⓑ Ⓒ Ⓓ Ⓔ	22	Ⓐ Ⓑ Ⓒ Ⓓ Ⓔ	42	Ⓐ Ⓑ Ⓒ Ⓓ Ⓔ
3	Ⓐ Ⓑ Ⓒ Ⓓ Ⓔ	23	Ⓐ Ⓑ Ⓒ Ⓓ Ⓔ	43	Ⓐ Ⓑ Ⓒ Ⓓ Ⓔ
4	Ⓐ Ⓑ Ⓒ Ⓓ Ⓔ	24	Ⓐ Ⓑ Ⓒ Ⓓ Ⓔ	44	Ⓐ Ⓑ Ⓒ Ⓓ Ⓔ
5	Ⓐ Ⓑ Ⓒ Ⓓ Ⓔ	25	Ⓐ Ⓑ Ⓒ Ⓓ Ⓔ	45	Ⓐ Ⓑ Ⓒ Ⓓ Ⓔ
6	Ⓐ Ⓑ Ⓒ Ⓓ Ⓔ	26	Ⓐ Ⓑ Ⓒ Ⓓ Ⓔ	46	Ⓐ Ⓑ Ⓒ Ⓓ Ⓔ
7	Ⓐ Ⓑ Ⓒ Ⓓ Ⓔ	27	Ⓐ Ⓑ Ⓒ Ⓓ Ⓔ	47	Ⓐ Ⓑ Ⓒ Ⓓ Ⓔ
8	Ⓐ Ⓑ Ⓒ Ⓓ Ⓔ	28	Ⓐ Ⓑ Ⓒ Ⓓ Ⓔ	48	Ⓐ Ⓑ Ⓒ Ⓓ Ⓔ
9	Ⓐ Ⓑ Ⓒ Ⓓ Ⓔ	29	Ⓐ Ⓑ Ⓒ Ⓓ Ⓔ	49	Ⓐ Ⓑ Ⓒ Ⓓ Ⓔ
10	Ⓐ Ⓑ Ⓒ Ⓓ Ⓔ	30	Ⓐ Ⓑ Ⓒ Ⓓ Ⓔ	50	Ⓐ Ⓑ Ⓒ Ⓓ Ⓔ
11	Ⓐ Ⓑ Ⓒ Ⓓ Ⓔ	31	Ⓐ Ⓑ Ⓒ Ⓓ Ⓔ	51	Ⓐ Ⓑ Ⓒ Ⓓ Ⓔ
12	Ⓐ Ⓑ Ⓒ Ⓓ Ⓔ	32	Ⓐ Ⓑ Ⓒ Ⓓ Ⓔ	52	Ⓐ Ⓑ Ⓒ Ⓓ Ⓔ
13	Ⓐ Ⓑ Ⓒ Ⓓ Ⓔ	33	Ⓐ Ⓑ Ⓒ Ⓓ Ⓔ	53	Ⓐ Ⓑ Ⓒ Ⓓ Ⓔ
14	Ⓐ Ⓑ Ⓒ Ⓓ Ⓔ	34	Ⓐ Ⓑ Ⓒ Ⓓ Ⓔ	54	Ⓐ Ⓑ Ⓒ Ⓓ Ⓔ
15	Ⓐ Ⓑ Ⓒ Ⓓ Ⓔ	35	Ⓐ Ⓑ Ⓒ Ⓓ Ⓔ	55	Ⓐ Ⓑ Ⓒ Ⓓ Ⓔ
16	Ⓐ Ⓑ Ⓒ Ⓓ Ⓔ	36	Ⓐ Ⓑ Ⓒ Ⓓ Ⓔ		
17	Ⓐ Ⓑ Ⓒ Ⓓ Ⓔ	37	Ⓐ Ⓑ Ⓒ Ⓓ Ⓔ		
18	Ⓐ Ⓑ Ⓒ Ⓓ Ⓔ	38	Ⓐ Ⓑ Ⓒ Ⓓ Ⓔ		
19	Ⓐ Ⓑ Ⓒ Ⓓ Ⓔ	39	Ⓐ Ⓑ Ⓒ Ⓓ Ⓔ		
20	Ⓐ Ⓑ Ⓒ Ⓓ Ⓔ	40	Ⓐ Ⓑ Ⓒ Ⓓ Ⓔ		

Hoja de Fórmulas Hoja de Fórmulas

Largo

1 pie = 12 pulgadas

1 yarda = 3 pies

1 milla = 5280 pies

1 metro = 1000 milímetros

1 metro = 100 centímetros

1 kilómetro = 1000 metros

1 milla ≈ 1.6 kilómetros

1 pulgada = 2.54 centímetros

1 pie ≈ 0.3 metros

Capacidad/Volumen

1 taza = 8 onzas líquidas

1 pinta = 2 tazas

1 cuarto = 2 pintas

1 galón = 4 cuartos

1 galón = 231 pulgadas cúbicas

1 litro = 1000 mililítros

1 litro ≈ 0.264 galones

Peso

1 libra = 16 onzas

1 tonelada = 2000 libras

1 gramo = 1000 miligramos

1 kilogramo = 1000 gramos

1 kilogramo ≈ 2.2 libras

1 onza ≈ 28.3 gramos

Largo

1 pie = 12 pulgadas

1 yarda = 3 pies

1 milla = 5280 pies

1 metro = 1000 milímetros

1 metro = 100 centímetros

1 kilómetro = 1000 metros

1 milla ≈ 1.6 kilómetros

1 pulgada = 2.54 centímetros

1 pie ≈ 0.3 metros

Capacidad/Volumen

1 taza = 8 onzas líquidas

1 pinta = 2 tazas

1 cuarto = 2 pintas

1 galón = 4 cuartos

1 galón = 231 pulgadas cúbicas

1 litro = 1000 mililítros

1 litro ≈ 0.264 galones

Peso

1 libra = 16 onzas

1 tonelada = 2000 libras

1 gramo = 1000 miligramos

1 kilogramo = 1000 gramos

1 kilogramo ≈ 2.2 libras

1 onza ≈ 28.3 gramos

1) longitud de AB en la siguiente figura si $AE = 4, CD = 6$ y $AC = 12$?

A. 3.8

B. 4.8

C. 7.2

D. 24

E. 48

2) Si el área del siguiente trapezoide es de 126 cm ¿cual es el perimetro del trapecio? (La figura no está dibujada a escala).

A. 12 cm

B. 13 cm

C. 32 cm

D. 46 cm

E. 55 cm

3) Si 5 pulgadas en un mapa representan una distancia real de 100 pies, entonces, ¿qué distancia real representan 18 pulgadas en el mapa?

A. 18

B. 20

C. 100

D. 250

E. 360

4) ¿Cuál de las siguientes listas muestra las fracciones en orden de menor a mayor?

$$\frac{3}{4}, \frac{2}{7}, \frac{3}{8}, \frac{5}{11}$$

A. $\frac{3}{8}, \frac{2}{7}, \frac{3}{4}, \frac{5}{11}$

B. $\frac{3}{8}, \frac{2}{7}, \frac{5}{11}, \frac{3}{4}$

C. $\frac{2}{7}, \frac{5}{11}, \frac{3}{8}, \frac{3}{4}$

D. $\frac{2}{7}, \frac{3}{8}, \frac{5}{11}, \frac{3}{4}$

E. $\frac{5}{11}, \frac{3}{4}, \frac{3}{8}, \frac{2}{7}$

5) El siguiente gráfico muestra la nota de siete estudiantes en matemáticas. ¿Cuál es la media (promedio) de las notas?

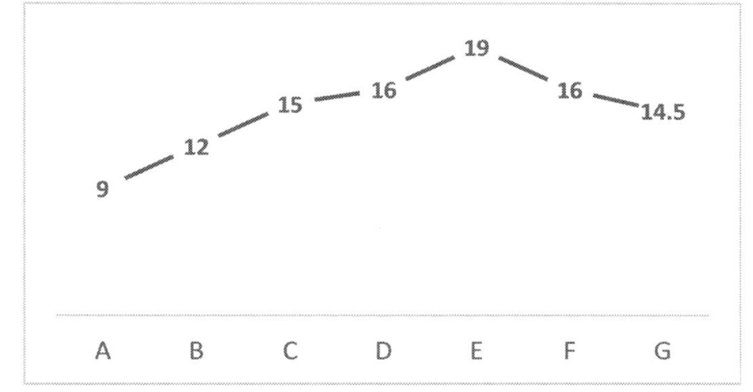

A. 15

B. 14.5

C. 14

D. 13.5

E. 13

Las preguntas 6 a 8 se basan en los siguientes datos

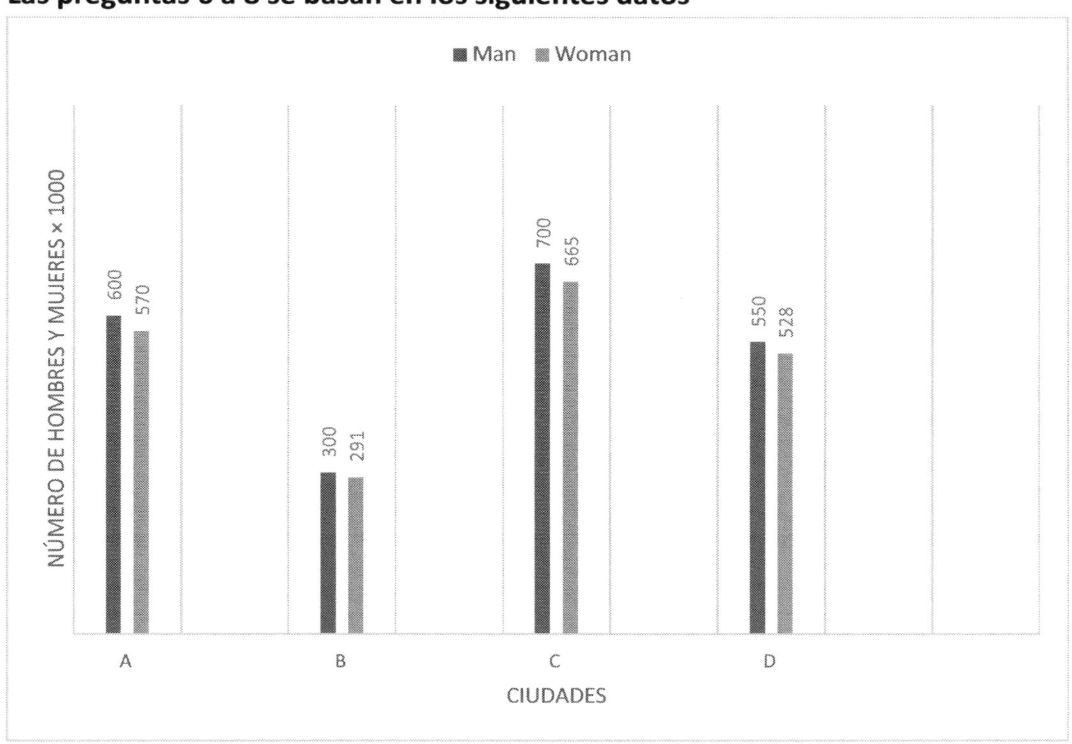

6) ¿Cuál es la proporción máxima de mujeres a hombres en las cuatro ciudades?

A. 0.98

B. 0.97

C. 0.96

D. 0.95

E. 0.94

7) ¿Cuál es la razón del porcentaje de hombres en la ciudad A al porcentaje de mujeres en la ciudad C?

A. 0.85

B. 0.9

C. 0.95

D. 1

E. 1.05

8) ¿Cuántas mujeres se deben agregar a la ciudad D hasta que la razón de mujeres a hombres sea 1.2?

A. 120

B. 123

C. 128

D. 132

E. 160

9) ¿Cuál es el valor de 6^4?

A. 6

B. 24

C. 36

D. 216

E. 1,296

10) ¿Cuántos libros de bolsillo de $\frac{1}{5}$ libras juntos pesan 50 libras?

A. 25

B. 50

C. 150

D. 200

E. 250

11) ¿Cuál es el volumen de la siguiente pirámide cuadrada?

A. 100 m^3

B. 120 m^3

C. 144 m^3

D. 480 m^3

E. 1,440 m^3

10 m

12 m

12 m

12) El área de superficie de un cilindro es $150\pi\ cm^2$. Si su altura es de 10 cm, ¿cuál es el radio del cilindro?

A. $20\ cm$

B. $15\ cm$

C. $13\ cm$

D. $11\ cm$

E. $5\ cm$

13) En la siguiente forma, el área del círculo es 16π. ¿Cuál es el área del cuadrado?

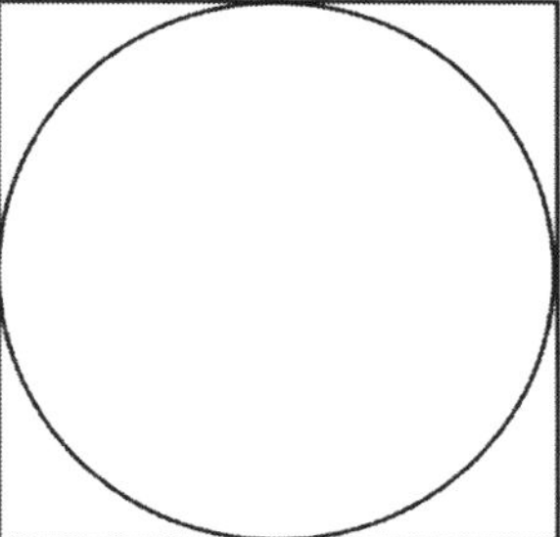

A. 4

B. 8

C. 16

D. 32

E. 64

14) La lista A consta de los números {1,3,8,10,15} y la lista B consta de los números {4,6,12,14,17}. Si se combinan las dos listas, ¿cuál es la mediana de la lista combinada?

A. 9

B. 10

C. 12

D. 15

E. 17

15) ¿Cuál es el área de la parte no sombreada de la siguiente figura?

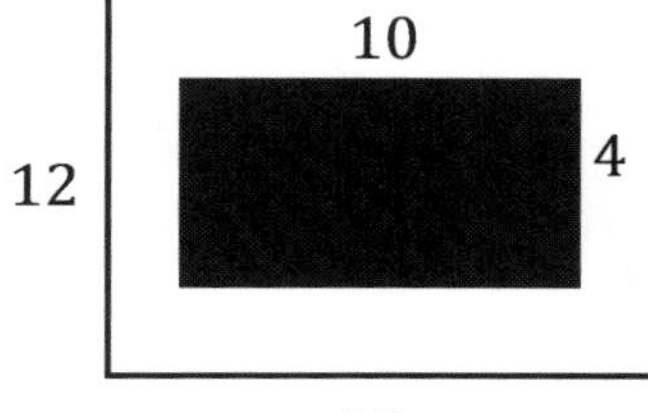

A. 236

B. 192

C. 152

D. 42

E. 40

16) En el siguiente triángulo, si la medida del ángulo A es de 37 grados, ¿cuál es el valor de y? (la figura NO está dibujada a escala)

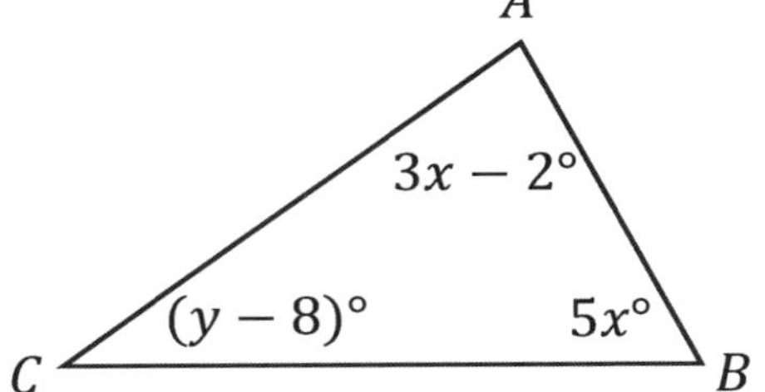

A. 37

B. 62

C. 70

D. 78

E. 86

Las preguntas 17 a 19 se basan en los siguientes datos

Tipos de contaminantes del aire en 10 ciudades de un país

Tipo de Contaminación	Número de ciudades									
A	■	■	■	■	■	■				
B	■	■	■							
C	■	■	■	■						
D	■	■	■	■	■	■	■	■	■	
E	■	■	■	■	■	■	■	■		
	1	2	3	4	5	6	7	8	9	10

17) Si a es la media (promedio) del número de ciudades en cada categoría de tipo de contaminación, b es la moda y c es la mediana del número de ciudades en cada categoría de tipo de contaminación, ¿cuál de los siguientes debe ser cierto?

A. $a < b < c$

B. $b < a < c$

C. $b < c < b$

D. $a = c$

E. $b < c = a$

18) ¿Qué porcentaje de ciudades se encuentran en el tipo de contaminación A, C y D respectivamente?

A. $60\%, 40\%, 90\%$

B. $40\%, 90\%, 60\%$

C. $40\%, 60\%, 90\%$

D. $30\%, 40\%, 90\%$

E. $30\%, 40\%, 60\%$

19) ¿Cuántas ciudades deben agregarse al tipo de contaminación B hasta que la proporción de ciudades en el tipo de contaminación B a ciudades en el tipo de contaminación E sea 0.625?

A. 2

B. 3

C. 4

D. 5

E. 6

20) Solo hay tarjetas rojas y azules en una caja. La probabilidad de sacar al azar una tarjeta roja de la casilla es de un tercio. Si hay 246 cartas azules, ¿cuántas cartas hay en la caja?

A. 123

B. 246

C. 308

D. 328

E. 369

21) $\frac{1}{6b^2} + \frac{1}{6b} = \frac{1}{b^2}$, entonces b = ?

A. $-\frac{15}{16}$

B. $-\frac{16}{15}$

C. 5

D. 6

E. 8

22) En el siguiente diagrama, el círculo A representa el conjunto de todos los números impares, el círculo B representa el conjunto de todos los números negativos y el círculo C representa el conjunto de todos los múltiplos de 5. ¿Qué número podría reemplazarse con y?

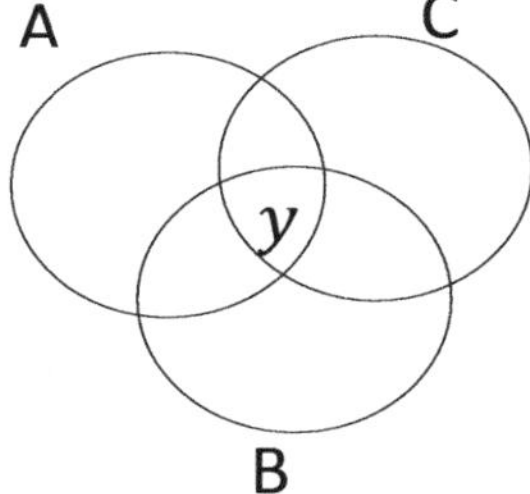

A. 0

B. 5

C. −5

D. 10

E. −10

23) ¿Cuál de las siguientes gráficas representa la desigualdad compuesta?

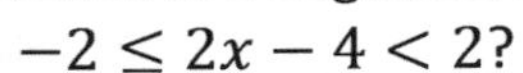

$-2 \leq 2x - 4 < 2$?

A.

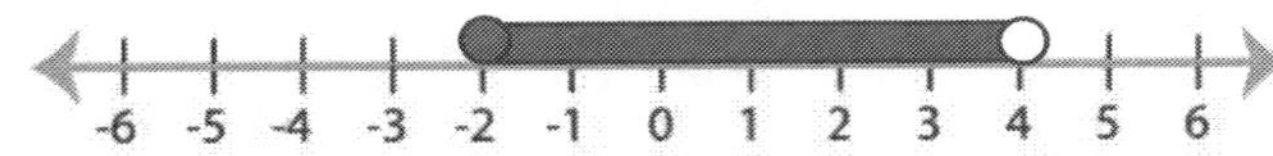

B.

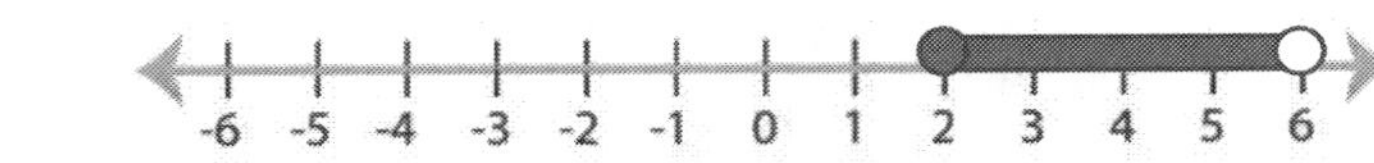

C.

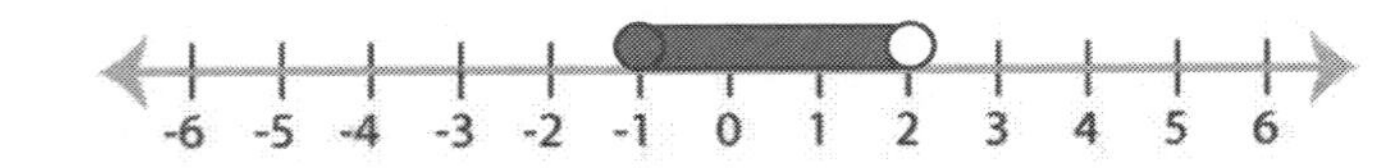

D.

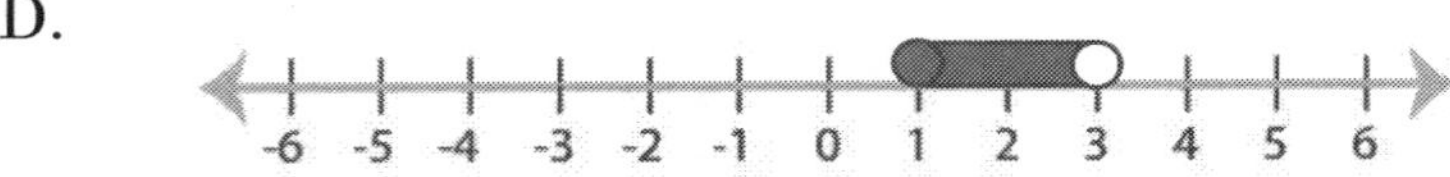

E.

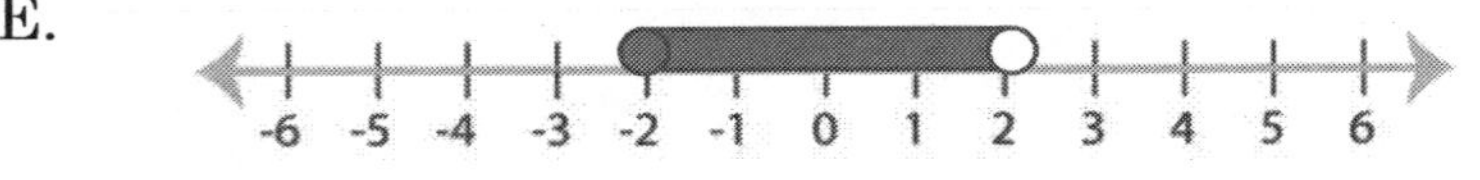

24) Una canasta contiene 20 pelotas y el peso promedio de cada una de estas pelotas es de 25 g. Las cinco bolas más pesadas tienen un peso promedio de 40 g cada una. Si sacamos las cinco pelotas más pesadas de la canasta, ¿cuál es el peso promedio de las pelotas restantes?

A. 10

B. 20

C. 30

D. 35

E. 40

25) En un estadio, la proporción de aficionados locales a aficionados visitantes en una multitud es de 5:7. ¿Cuál de los siguientes podría ser el número total de aficionados en el estadio?

A. 12,324

B. 42,326

C. 44,566

D. 66,812

E. 69,752

26) ¿Cuál es el perímetro en centímetros de un cuadrado que tiene un área de $595.36\ cm^2$?

A. 97.6
B. 96.2
C. 95.7
D. 92.6
E. 90.3

27) Una receta de pan requiere $2\frac{2}{3}$ tazas de harina. Si solo tiene $2\frac{5}{6}$ tazas, ¿cuánta más harina se necesita?

A. 1

B. $2\frac{11}{6}$

C. $\frac{1}{2}$

D. $\frac{5}{6}$

E. $\frac{11}{6}$

28) Si $x = \frac{1}{3}$ y $y = \frac{9}{21}$, entonces cual es igual a $\frac{1}{x} \div \frac{y}{3}$?

A. $\frac{1}{7}$

B. $\frac{1}{3}$

C. $\frac{2}{3}$

D. $\frac{1}{21}$

E. 21

29) Si Jim agrega 100 sellos a su colección de sellos actual, el número total de sellos será igual a $\frac{6}{5}$ del número actual de sellos. Si Jim agrega un 50% más de estampillas a la colección actual, ¿cuántas estampillas habrá en la colección?

A. 150

B. 300

C. 500

D. 600

E. 750

30) La suma de 8 números es mayor que 240 y menor que 320. ¿Cuál de los siguientes podría ser el promedio (media aritmética) de los números?

A. 25

B. 30

C. 35

D. 40

E. 45

31) En la siguiente figura, el punto Q se encuentra en la línea *n*, ¿cuál es el valor de *y* si $x = 35$?

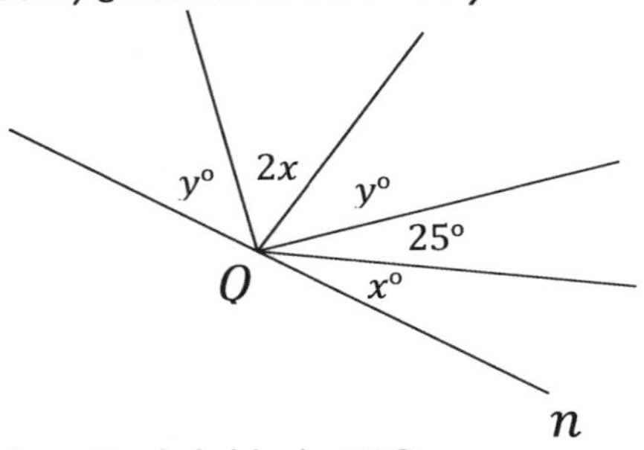

A. 15

B. 25

C. 30

D. 35

E. 45

32) El triángulo ABC es similar al triángulo ADE. ¿Cuál es la longitud del lado EC?

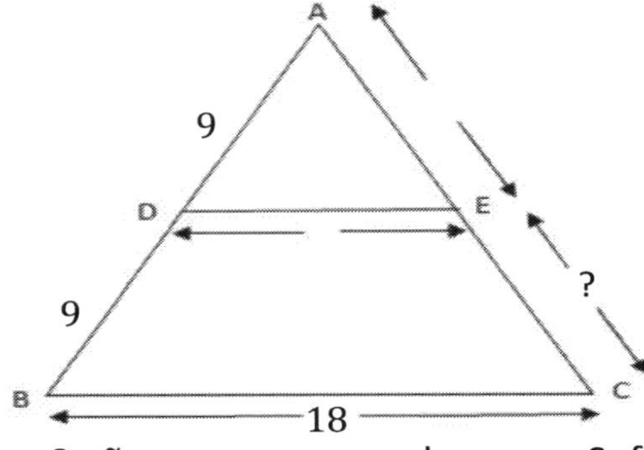

A. 4.5

B. 9

C. 18

D. 27

E. 36

33) Ella (E) es 4 años mayor que su amiga Ava (A) quien es 3 años menor que su hermana Sofía (S). Si E, A y S denotan sus edades, ¿cuál de los siguientes representa la información dada?

A. $\begin{cases} E = A + 4 \\ S = A - 3 \end{cases}$

B. $\begin{cases} E = A + 4 \\ A = S + 3 \end{cases}$

C. $\begin{cases} A = E + 4 \\ S = A - 3 \end{cases}$

D. $\begin{cases} E = A + 4 \\ A = S - 3 \end{cases}$

E. $\begin{cases} E = A + 3 \\ S = A + 4 \end{cases}$

34) El largo de un rectángulo es 3 metros mayor que 4 veces su ancho. El perímetro del rectángulo es de 36 metros. ¿Cuál es el área del rectángulo en metros?

A. 15

B. 35

C. 45

D. 55

E. 65

35) Encuentre el valor de x en el siguiente diagrama. (Hay 2 ángulos suplementarios en el diagrama?

A. 23

B. 36

C. 47

D. 68

E. 90

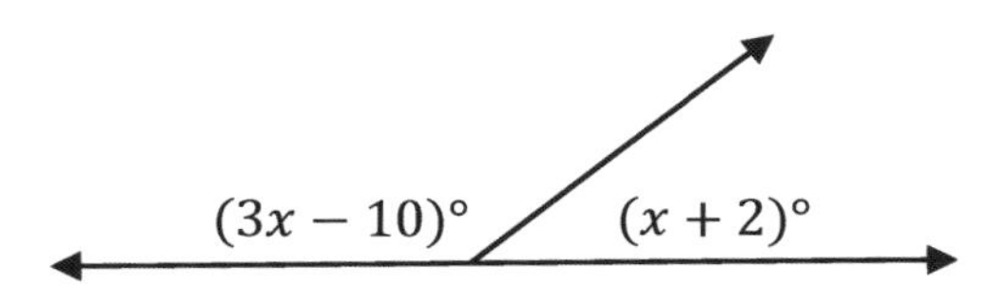

36) El siguiente gráfico circular muestra todos los gastos del Sr. Green durante el último mes. Si gastó $660 en su automóvil, ¿cuánto gastó en el alquiler?

A. $660

B. $700

C. $740

D. $780

E. $810

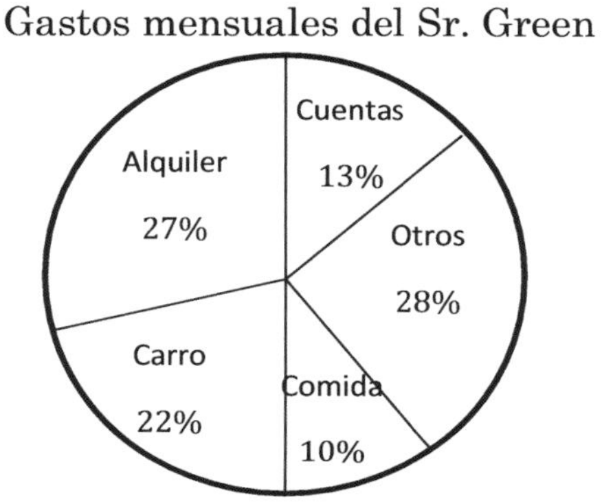

37) ¿Cuál es el área de la región sombreada si el diámetro del círculo más grande es de 12 pulgadas y el diámetro del círculo más pequeño es de 8 pulgadas?

A. $16\pi\ in^2$

B. $20\pi\ in^2$

C. $36\pi\ in^2$

D. $48\pi\ in^2$

E. $80\pi\ in^2$

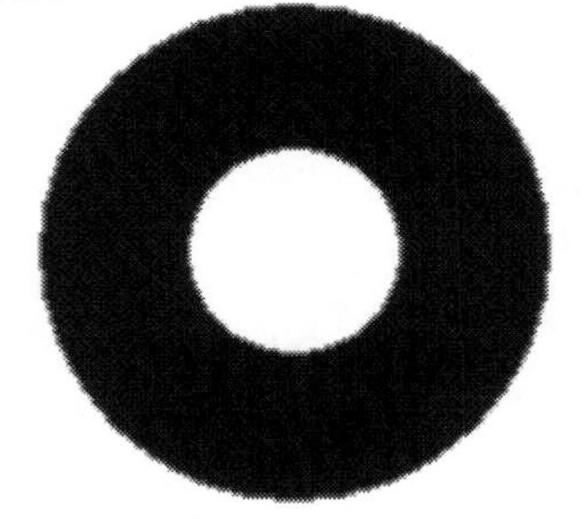

38) En el siguiente rectángulo, si y>5 cm y el área del rectángulo es 50 cm^2 y el perímetro del rectángulo es 30 cm, ¿cuál es el valor de x e y?

A. $x = 15,\ y = 10$

B. $x = 15,\ y = 5$

C. $x = 10,\ y = 15$

D. $x = 10,\ y = 5$

E. $x = 5,\ y = 10$

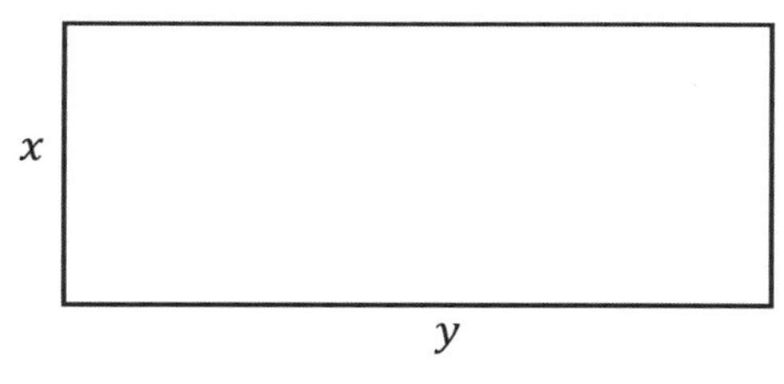

39) ¿Cual es el valor de x?

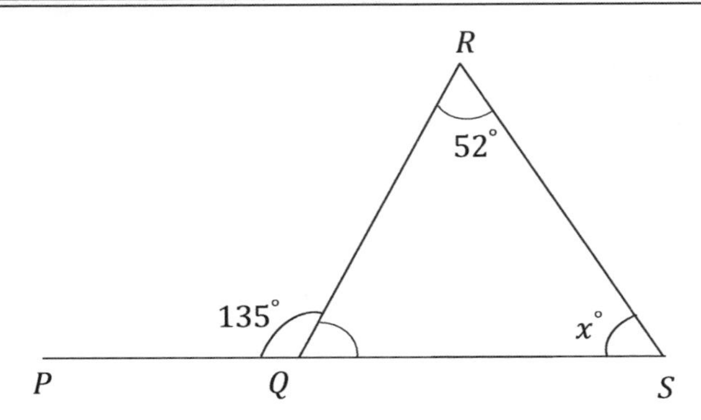

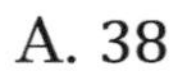

A. 38

B. 45

C. 75

D. 83

E. 135

40) Si x es directamente proporcional al cuadrado de y, y y=2 cuando x=12, entonces cuando $x = 75$ $y = ?$

A. $\frac{1}{5}$

B. 1

C. 5

D. 12

E. 25

41) Jack gana $616 por sus primeras 44 horas de trabajo en una semana y luego se le paga 1.5 veces su tarifa regular por hora por cualquier hora adicional. Esta semana, Jack necesita $826 para pagar el alquiler, las facturas y otros gastos. ¿Cuántas horas debe trabajar para ganar suficiente dinero en esta semana?

A. 40

B. 43

C. 48

D. 54

E. 62

42) Cuál es el 2.5% de 1,200?

A. 900

B. 600

C. 300

D. 60

E. 30

43) Si x es un número real, y si x^3+18=130, ¿entre qué dos enteros consecutivos se encuentra x?

A. 1 y 2

B. 2 y 3

C. 3 y 4

D. 4 y 5

E. 5 y 6

44) Jack escribe 72 palabras por minuto. ¿Cuántas palabras escribe en 15 segundos?

A. 14

B. 18

C. 20

D. 22

E. 24

45) ¿Cuál de los siguientes es igual a: 0.000,000,000,000,042,121?

A. 4.2121×10^{14}

B. 4.2121×10^{13}

C. 42.121×10^{-10}

D. 42.121×10^{-13}

E. 4.2121×10^{-14}

46) ¿Cual de los siguientes es el más grande?

A. $|4-2|$

B. $|2-4|$

C. $|-2-4|$

D. $|2-4|-|4-2|$

E. $|2-4|+|4-2|$

47) Un estudiante obtiene el 85% de una prueba con 40 preguntas. ¿Cuántas respuestas resolvió correctamente el estudiante?

A. 25

B. 28

C. 34

D. 36

E. 42

48) Para comprar una computadora nueva, Emma pidió prestados $2,500 al 8% de interés durante 6 años. ¿Cuánto interés pagó ella?

A. $150

B. $1,200

C. $1,500

D. $2,400

E. $2,500

49) Si *n* es un entero par menor que -3,34, ¿cuál es el mayor valor posible de *n*?

A. -1

B. -2

C. -3

D. -4

E. -5

50) El entero x es divisible por 4. ¿Cuál de las siguientes expresiones también es divisible por 4?

A. $x + 1$

B. $2x + 1$

C. $2x + 4$

D. $3x + 2$

E. $4x + 1$

51) Sara tiene una caja que contiene 5 bolas azules, 8 bolas rojas y 3 bolas verdes. Si saca una bola al azar, ¿cuál es la probabilidad de que no sea azul?

A. $\frac{1}{8}$

B. $\frac{5}{16}$

C. $\frac{5}{11}$

D. $\frac{10}{11}$

E. $\frac{11}{16}$

52) En la siguiente recta numérica, el punto M está ubicado en el segmento de recta ON, de modo que $OM = \frac{1}{3}MN$. ¿Cuál es la posición del punto M?

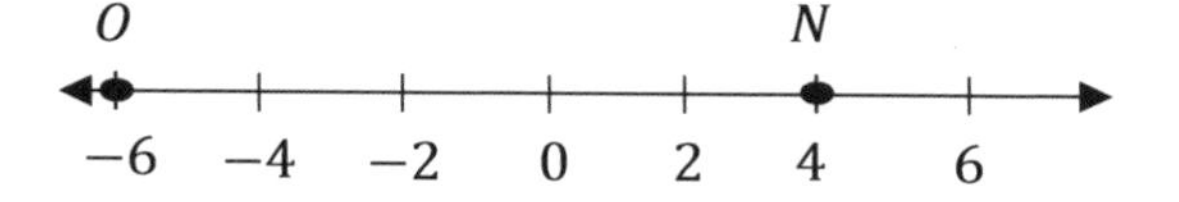

A. −4.2

B. −3.5

C. −1.5

D. 1.5

E. 2.5

53) Jack recorre 160 kilómetros en 1 hora y 20 minutos. A esa velocidad, ¿cuántos metros recorre por minuto?

A. 1,000 metros

B. 1,500 metros

C. 1,600 metros

D. 2,000 metros

E. 2,500 metros

54) La suma de dos enteros consecutivos es -13. Si se suma 2 al entero menor y se resta 3 del entero mayor, ¿cuál es el producto de los dos enteros resultantes?

A. 5

B. 9

C. 18

D. 28

E. 45

55) Una escalera se apoya contra una pared formando un ángulo de 60º entre el suelo y la escalera. Si la parte inferior de la escalera está a 30 pies de la pared, ¿cuánto mide la escalera?

A. $30\ pies$

B. $40\ pies$

C. $50\ pies$

D. $60\ pies$

E. $120\ pies$

Fin de la Prueba Práctica de Matemática HiSET 1

Prueba de Práctica de Matemáticas HiSET 2

2023

Total Número total de preguntas: 55

Tiempo total (Calculadora): 90 Minutos

Se permiten calculadoras para la prueba de

151

Hoja de respuestas de las pruebas de práctica de matemáticas de HiSET **Retire (o fotocopie) esta hoja de respuestas y utilícela para completar el examen de práctica.**

Hoja de respuestas del examen de práctica de matemáticas HiSET 1

1 (A) (B) (C) (D) (E)
2 (A) (B) (C) (D) (E)
3 (A) (B) (C) (D) (E)
4 (A) (B) (C) (D) (E)
5 (A) (B) (C) (D) (E)
6 (A) (B) (C) (D) (E)
7 (A) (B) (C) (D) (E)
8 (A) (B) (C) (D) (E)
9 (A) (B) (C) (D) (E)
10 (A) (B) (C) (D) (E)
11 (A) (B) (C) (D) (E)
12 (A) (B) (C) (D) (E)
13 (A) (B) (C) (D) (E)
14 (A) (B) (C) (D) (E)
15 (A) (B) (C) (D) (E)
16 (A) (B) (C) (D) (E)
17 (A) (B) (C) (D) (E)
18 (A) (B) (C) (D) (E)
19 (A) (B) (C) (D) (E)
20 (A) (B) (C) (D) (E)
21 (A) (B) (C) (D) (E)
22 (A) (B) (C) (D) (E)
23 (A) (B) (C) (D) (E)
24 (A) (B) (C) (D) (E)
25 (A) (B) (C) (D) (E)
26 (A) (B) (C) (D) (E)
27 (A) (B) (C) (D) (E)
28 (A) (B) (C) (D) (E)
29 (A) (B) (C) (D) (E)
30 (A) (B) (C) (D) (E)
31 (A) (B) (C) (D) (E)
32 (A) (B) (C) (D) (E)
33 (A) (B) (C) (D) (E)
34 (A) (B) (C) (D) (E)
35 (A) (B) (C) (D) (E)
36 (A) (B) (C) (D) (E)
37 (A) (B) (C) (D) (E)
38 (A) (B) (C) (D) (E)
39 (A) (B) (C) (D) (E)
40 (A) (B) (C) (D) (E)
41 (A) (B) (C) (D) (E)
42 (A) (B) (C) (D) (E)
43 (A) (B) (C) (D) (E)
44 (A) (B) (C) (D) (E)
45 (A) (B) (C) (D) (E)
46 (A) (B) (C) (D) (E)
47 (A) (B) (C) (D) (E)
48 (A) (B) (C) (D) (E)
49 (A) (B) (C) (D) (E)
50 (A) (B) (C) (D) (E)
51 (A) (B) (C) (D) (E)
52 (A) (B) (C) (D) (E)
53 (A) (B) (C) (D) (E)
54 (A) (B) (C) (D) (E)
55 (A) (B) (C) (D) (E)

1	Ⓐ Ⓑ Ⓒ Ⓓ Ⓔ	21	Ⓐ Ⓑ Ⓒ Ⓓ Ⓔ	41	Ⓐ Ⓑ Ⓒ Ⓓ Ⓔ
2	Ⓐ Ⓑ Ⓒ Ⓓ Ⓔ	22	Ⓐ Ⓑ Ⓒ Ⓓ Ⓔ	42	Ⓐ Ⓑ Ⓒ Ⓓ Ⓔ
3	Ⓐ Ⓑ Ⓒ Ⓓ Ⓔ	23	Ⓐ Ⓑ Ⓒ Ⓓ Ⓔ	43	Ⓐ Ⓑ Ⓒ Ⓓ Ⓔ
4	Ⓐ Ⓑ Ⓒ Ⓓ Ⓔ	24	Ⓐ Ⓑ Ⓒ Ⓓ Ⓔ	44	Ⓐ Ⓑ Ⓒ Ⓓ Ⓔ
5	Ⓐ Ⓑ Ⓒ Ⓓ Ⓔ	25	Ⓐ Ⓑ Ⓒ Ⓓ Ⓔ	45	Ⓐ Ⓑ Ⓒ Ⓓ Ⓔ
6	Ⓐ Ⓑ Ⓒ Ⓓ Ⓔ	26	Ⓐ Ⓑ Ⓒ Ⓓ Ⓔ	46	Ⓐ Ⓑ Ⓒ Ⓓ Ⓔ
7	Ⓐ Ⓑ Ⓒ Ⓓ Ⓔ	27	Ⓐ Ⓑ Ⓒ Ⓓ Ⓔ	47	Ⓐ Ⓑ Ⓒ Ⓓ Ⓔ
8	Ⓐ Ⓑ Ⓒ Ⓓ Ⓔ	28	Ⓐ Ⓑ Ⓒ Ⓓ Ⓔ	48	Ⓐ Ⓑ Ⓒ Ⓓ Ⓔ
9	Ⓐ Ⓑ Ⓒ Ⓓ Ⓔ	29	Ⓐ Ⓑ Ⓒ Ⓓ Ⓔ	49	Ⓐ Ⓑ Ⓒ Ⓓ Ⓔ
10	Ⓐ Ⓑ Ⓒ Ⓓ Ⓔ	30	Ⓐ Ⓑ Ⓒ Ⓓ Ⓔ	50	Ⓐ Ⓑ Ⓒ Ⓓ Ⓔ
11	Ⓐ Ⓑ Ⓒ Ⓓ Ⓔ	31	Ⓐ Ⓑ Ⓒ Ⓓ Ⓔ	51	Ⓐ Ⓑ Ⓒ Ⓓ Ⓔ
12	Ⓐ Ⓑ Ⓒ Ⓓ Ⓔ	32	Ⓐ Ⓑ Ⓒ Ⓓ Ⓔ	52	Ⓐ Ⓑ Ⓒ Ⓓ Ⓔ
13	Ⓐ Ⓑ Ⓒ Ⓓ Ⓔ	33	Ⓐ Ⓑ Ⓒ Ⓓ Ⓔ	53	Ⓐ Ⓑ Ⓒ Ⓓ Ⓔ
14	Ⓐ Ⓑ Ⓒ Ⓓ Ⓔ	34	Ⓐ Ⓑ Ⓒ Ⓓ Ⓔ	54	Ⓐ Ⓑ Ⓒ Ⓓ Ⓔ
15	Ⓐ Ⓑ Ⓒ Ⓓ Ⓔ	35	Ⓐ Ⓑ Ⓒ Ⓓ Ⓔ	55	Ⓐ Ⓑ Ⓒ Ⓓ Ⓔ
16	Ⓐ Ⓑ Ⓒ Ⓓ Ⓔ	36	Ⓐ Ⓑ Ⓒ Ⓓ Ⓔ		
17	Ⓐ Ⓑ Ⓒ Ⓓ Ⓔ	37	Ⓐ Ⓑ Ⓒ Ⓓ Ⓔ		
18	Ⓐ Ⓑ Ⓒ Ⓓ Ⓔ	38	Ⓐ Ⓑ Ⓒ Ⓓ Ⓔ		
19	Ⓐ Ⓑ Ⓒ Ⓓ Ⓔ	39	Ⓐ Ⓑ Ⓒ Ⓓ Ⓔ		
20	Ⓐ Ⓑ Ⓒ Ⓓ Ⓔ	40	Ⓐ Ⓑ Ⓒ Ⓓ Ⓔ		

Hoja de Fórmulas

Perímetro/Circunferencia	***Largo***
Rectángulo	1 pie = 12 pulgadas
Perímetro = 2 (largo) + 2(ancho)	1 yarda = 3 pies
Círculo	1 milla = 5280 pies
Circunferencia = 2π*(radio)*	1 metro = 1000 milímetros
	1 metro = 100 centímetros
Área	1 kilómetro = 1000 metros
Círculo	1 milla ≈ 1.6 kilómetros
Área = $\pi(\text{radio})^2$	1 pulgada = 2.54 centímetros
Triángulo	1 pie ≈ 0.3 metros
Área = $\frac{1}{2}$*(Base)(Altura)*	***Capacidad/Volumen***
Paralelogramo	1 taza = 8 onzas líquidas
Área = (Base)(Altura)	1 pinta = 2 tazas
Trapecio	1 cuarto = 2 pintas
Área = $\frac{1}{2}(\text{base}_1 + \text{base}_2)(\text{altura})$	1 galón = 4 cuartos
	1 galón = 231 pulgadas cúbicas
	1 litro = 1000 mililítros
Volumen	1 litro ≈ 0.264 galones
Prisma/Cilindro	***Peso***
Volumen = (Área de la base)(altura)	1 libra = 16 onzas
Piramide/Cono	1 tonelada = 2000 libras
Volumen = $\frac{1}{3}$(Área de la base)(altura)	1 gramo = 1000 miligramos
Esfera	1 kilogramo = 1000 gramos
Volumen = $\frac{4}{3}\pi(\text{radio})^3$	1 kilogramo ≈ 2.2 libras
	1 onza ≈ 28.3 gramos

1) Laapacidad de una caja roja es un 20% mayor que la capacidad de una caja azul. Si la caja roja puede contener 30 libros del mismo tamaño, ¿cuántos libros iguales puede contener la caja azul?

   a. 9
   b. 15
   c. 21
   d. 25
   e. 30

2) Kim gastó $35 en pantalones. Esto fue $10 menos que el triple de lo que gastó en una camisa. Cuánto salió la camisa?

   a. $11
   b. $13
   c. $15
   d. $17
   e. $21

3) ¿Cuál es el mayor entero menor que $-\frac{32}{5}$?

   a. 0
   b. -2
   c. -4
   d. -6
   e. -7

4) La medida de los ángulos de un triángulo está en la razón 1:3:5. ¿Cuál es la medida del ángulo mayor?

   a. 20°
   b. 45°
   c. 85°
   d. 100°
   e. 180°

5) En la siguiente figura, la línea A es paralela a la línea B. ¿Cuál es el valor de x?

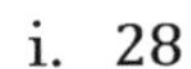

i. 28
ii. 46
iii. 50
iv. 55
E. 65

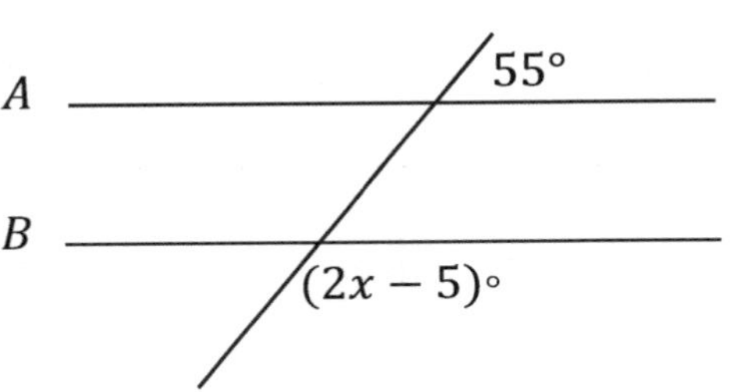

6) La media de 50 puntuaciones de exámenes se calculó como 85. Pero resultó que una de las puntuaciones se interpretó erróneamente como 94 pero era 69. ¿Cuál es la media?

i. 84.5
ii. 87
iii. 87.5
iv. 88.5
v. 90.5

7) ¿Cuál de las siguientes respuestas representa la desigualdad compuesta?
$-4 \leq 4x - 8 < 16$?

i. $-2 \leq x \leq 8$
ii. $-2 < x \leq 8$
iii. $1 < x \leq 6$
iv. $1 \leq x < 6$
v. $2 \leq x \leq 6$

8) En la siguiente figura, ABCD es un rectángulo. Si $a = \sqrt{3}$, y $b = 2a$, encuentra el área de la zona sombreada. (la región sombreada es un trapecio)

i. $2\sqrt{3}$
ii. $3\sqrt{3}$
iii. $4\sqrt{3}$
iv. $6\sqrt{3}$
v. $8\sqrt{3}$

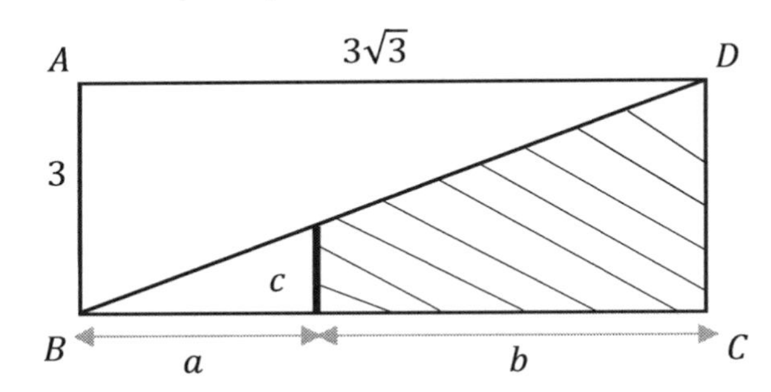

9) ¿Qué gráfico muestra una relación lineal no proporcional entre x e y?

A.

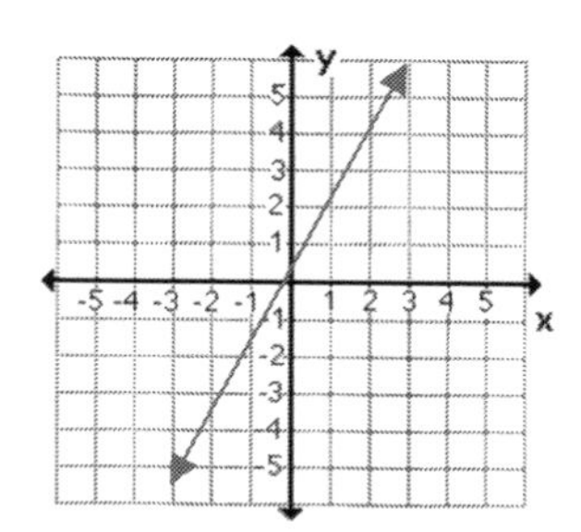

B.

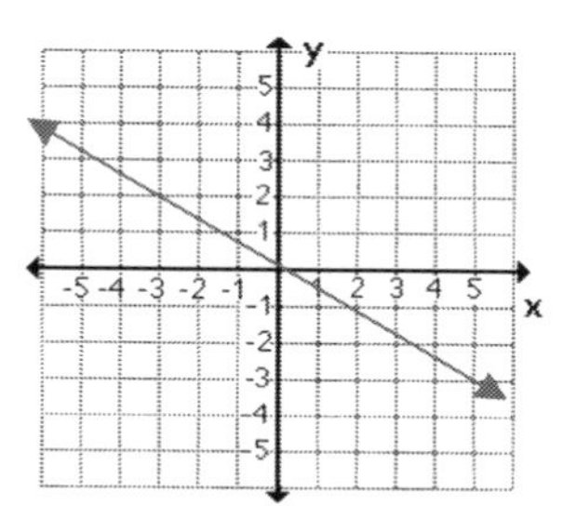

C.

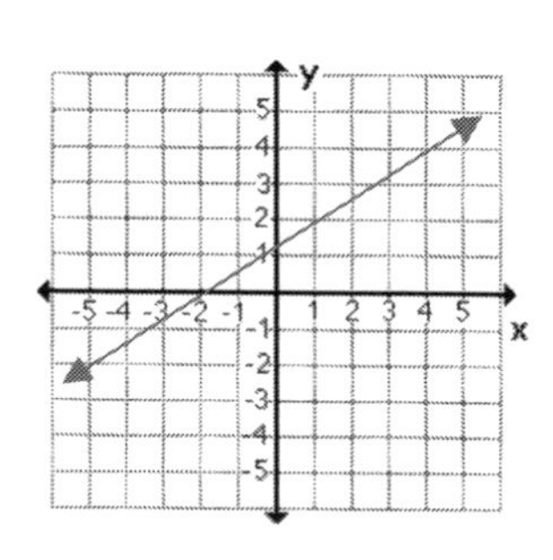

D.

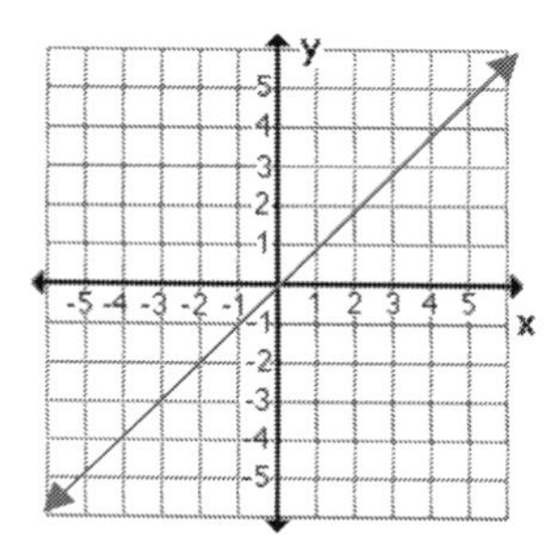

E.

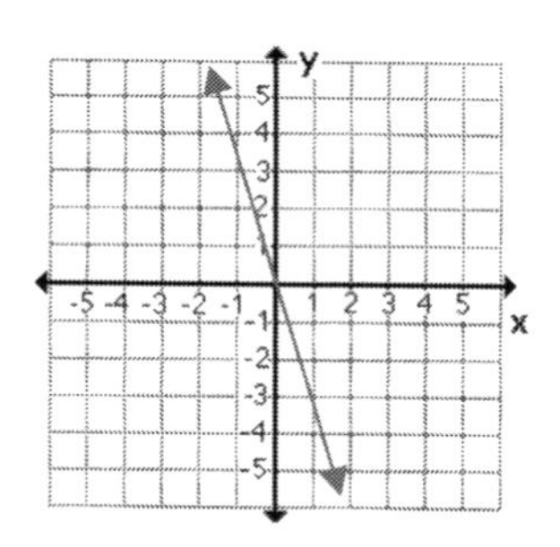

10) En la siguiente figura, ¿cuál es el valor de x?

A. 8

B. 11

C. 15

D. 16

E. 32

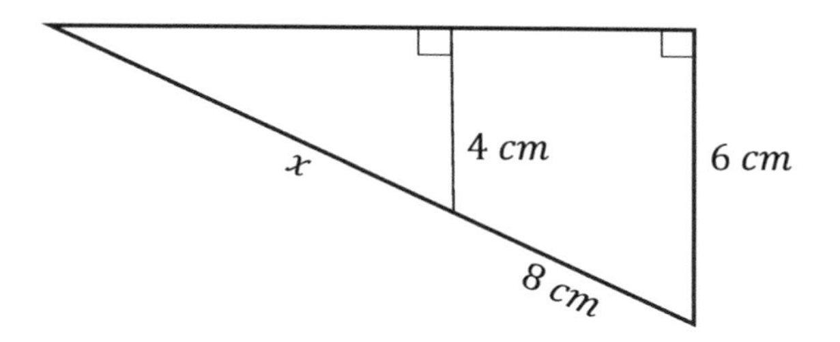

11) Anna abrió una cuenta con un depósito de $3,000. Esta cuenta gana 5% de interés simple anual. ¿Cuántos años le tomará ganar $600 en su depósito de $3,000?

A. 2

B. 4

C. 5

D. 6

E. 8

12) Tom recogió $2\frac{2}{5}$ canastas de manzanas y Sam recogió $1\frac{3}{4}$ canastas de manzanas. ¿Cuántas canastas recogieron en total?

A. $1\frac{2}{3}$

B. $2\frac{1}{12}$

C. $3\frac{20}{23}$

D. $4\frac{3}{20}$

E. $5\frac{1}{12}$

13) Una lista de enteros consecutivos comienza con k y termina con n. Si n-k=46, ¿cuántos enteros hay en la lista?

A. 23

B. 38

C. 46

D. 47

E. 58

14) Un pedazo de papel que mide $2\frac{3}{5}$ pies de largo se corta en 2 pedazos de diferentes longitudes. La pieza más corta tiene una longitud de x pies. ¿Qué desigualdad expresa todos los valores posibles de x?

A. $x < 2\frac{1}{10}$

B. $x > 2$

C. $x < 2\frac{3}{5}$

D. $x > 1\frac{3}{10}$

E. $x < 1\frac{3}{10}$

15) En una academia, las calificaciones de los cursos varían de 0 a 100. Anna tomó 5 cursos y su calificación promedio fue de 80. William tomó 8 cursos. Si ambos estudiantes tienen la misma suma de calificaciones del curso, ¿cuál fue la media de William?

A. 50

B. 65

C. 70

D. 80

E. 85

16) La suma de los números x, y y z es 69. La razón de x a y es 1:3 y la razón de y a z es 2:5. ¿Cuál es el valor de y?

A. 9.6

B. 15

C. 18

D. 21.6

E. 33

17) ¿Cuál de las siguientes rectas numéricas muestra la solución de la desigualdad? $-1 < \frac{x}{3} < 2$?

A. 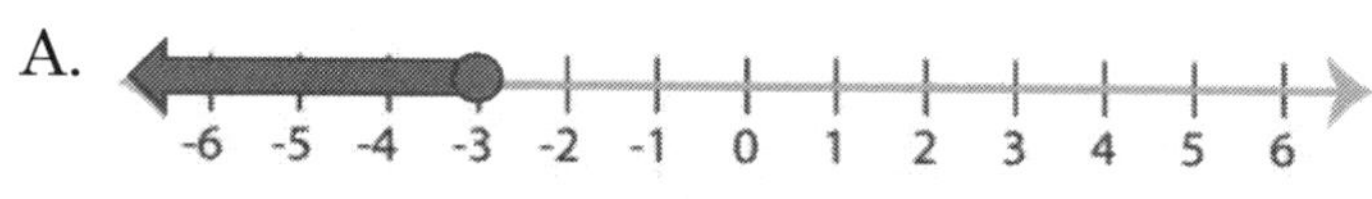

B. 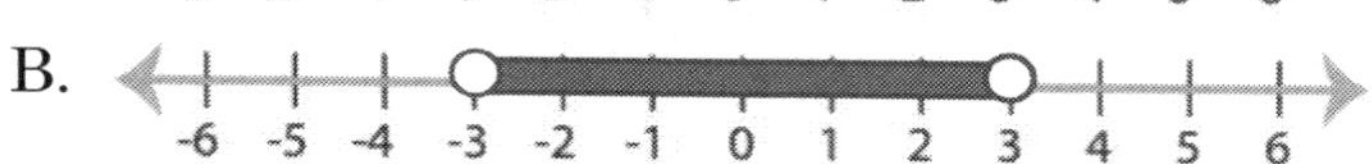

C. 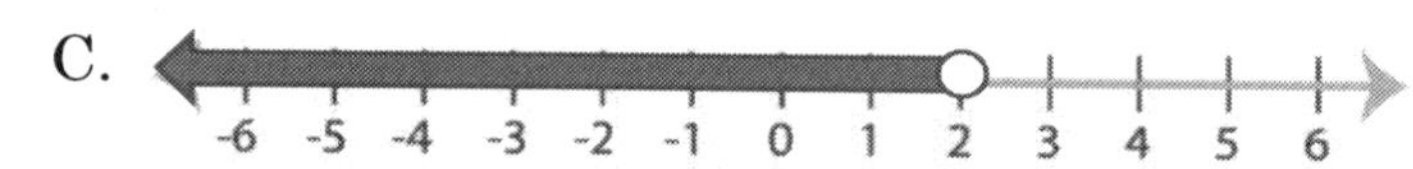

D. 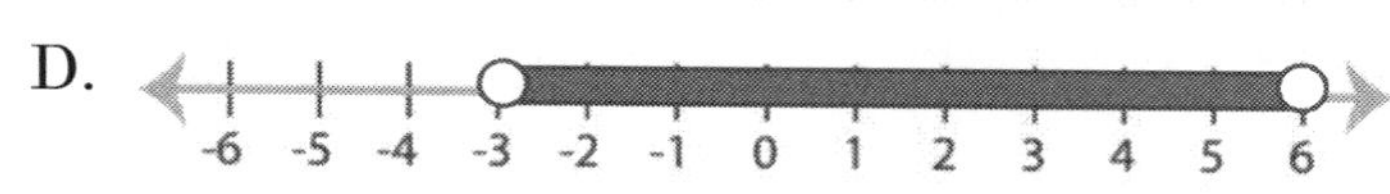

E. 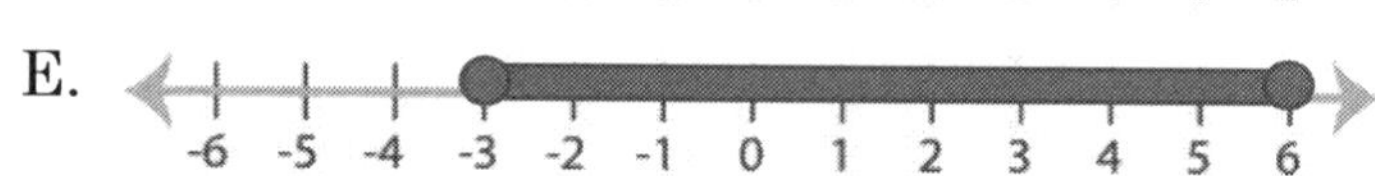

18) El conjunto S consta de todos los números impares mayores que 5 y menores que 30. ¿Cuál es la media de los números en S?

A. 11

B. 13

C. 17

D. 18

19) Si $\sqrt{2y} = \sqrt{5x}$ entonces $x = \cdots$

A. $\frac{1}{6}y$

B. $\frac{1}{5}y$

C. $\frac{2}{5}y$

D. $\frac{5}{2}y$

E. $10y$

20) Una línea conecta el punto medio de AB (punto E), con el punto C en el cuadrado ABCD. Calcula el área de la forma trapezoidal adquirida si el cuadrado tiene un lado de 4 m.

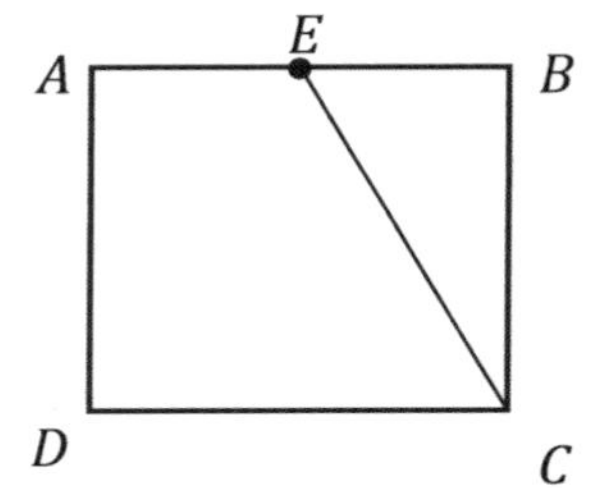

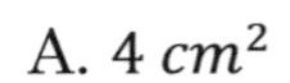
A. $4\ cm^2$

B. $12\ cm^2$

C. $15\ cm^2$

D. $18\ cm^2$

E. $24\ cm^2$

21) En un grupo de 45 estudiantes, el 60% no sabe nadar. ¿Cuántos estudiantes pueden nadar?

A. 13

B. 18

C. 22

D. 23

E. 35

22) $8,400 se distribuyen equitativamente entre 14 personas. ¿Cuánto dinero recibirá cada persona?

A. $400

B. $450

C. $584

D. $600

E. $800

23) Una caja contiene 6 palos verdes, 4 palos azules y 2 palos amarillos. Emma elige uno sin mirar. ¿Cuál es la probabilidad de que el palo sea verde?

A. $\frac{1}{2}$

B. $\frac{1}{3}$

C. $\frac{1}{4}$

D. $\frac{2}{5}$

E. $\frac{3}{2}$

24) En la figura de abajo, un cuadrado está inscrito en un círculo. Calcula el área sombreada en la siguiente figura. sabiendo que el radio de la circunferencia es 6 cm. ($\pi = 3.14$)

A. 73.65 cm^2

B. 69.90 cm^2

C. 72.69 cm^2

D. 88.04 cm^2

E. 113.4 cm^2

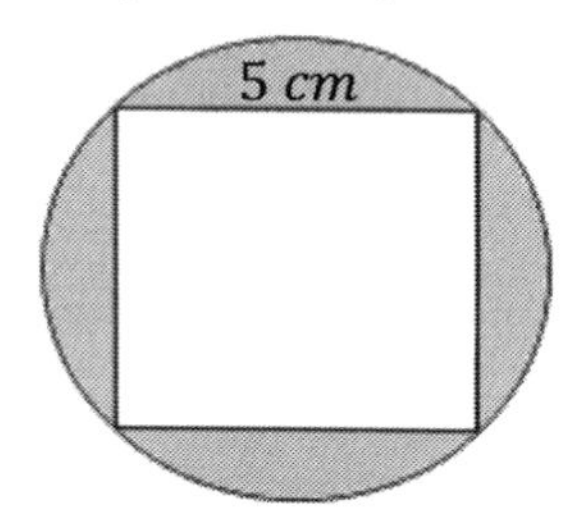

25) El precio de un chocolate se elevó de $ 5,40 a $ 5,67. ¿Cuál fue el porcentaje de aumento en el precio?

A. 4%

B. 5%

C. 6%

D. 8%

E. 10%

26) En una caja de canicas azules y negras, la razón de canicas azules a canicas negras es 4:3. Si la caja contiene 150 canicas negras, ¿cuántas canicas azules hay?

A. 100

B. 150

C. 200

D. 300

E. 600

27) $\frac{5}{8}$ de un número es 90. Encuentra el número.

A. 144

B. 270

C. 450

D. 720

E. 800

28) Una mezcla de jugo contiene $\frac{5}{14}$ de jarra de jugo de cereza y $\frac{5}{70}$ de jarra de jugo de manzana. ¿Cuántos frascos de jugo de cereza por frasco de jugo de manzana contiene la mezcla?

A. 70

B. 14

C. 10

D. 7

E. 5

29) En la siguiente figura, LMNO y JMPQ son cuadrados. El punto O es el centro del círculo y los puntos L y N están en el círculo. Si el área del cuadrado es de 16 centímetros cuadrados, ¿cuál es el área, en centímetros cuadrados, de la parte sombreada? ($\pi = 3.14$)

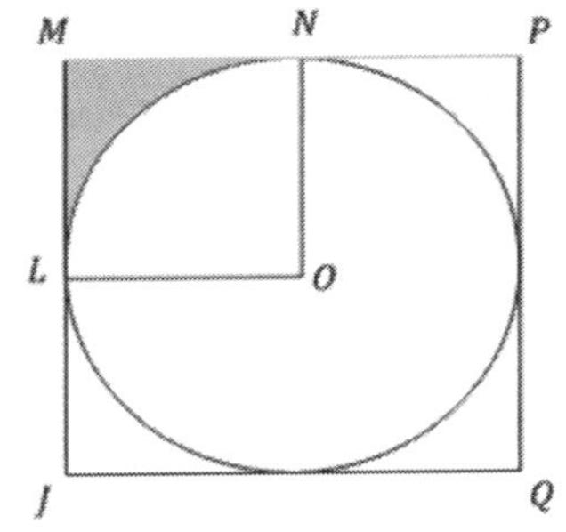

A. 3

B. 3.44

C. 12

D. 12.56

E. 16

30) El conjunto de valores posibles de *n* es {5,3,7}. ¿Cuál es el conjunto de valores posibles de *m* si $2m = n + 5$?

A. $\{2, 4, 7\}$

B. $\{3, 2, 5\}$

C. $\{4, 5, 8\}$

D. $\{5, 4, 6\}$

E. $\{6, 5, 8\}$

31) Si $x = 25$, entonces, ¿cuáles de las siguientes ecuaciones son correctas?

A. $x + 10 = 40$

B. $4x = 100$

C. $3x = 70$

D. $\frac{x}{2} = 12$

E. $\frac{x}{3} = 8$

32) Jack obtuvo una media de 80 por prueba en sus primeras 4 pruebas. En su 5th prueba, obtuvo una puntuación de 90. ¿Cuál fue la puntuación media de Jack en las 5 pruebas?

A. 70

B. 75

C. 80

D. 82

E. 93

33) El volumen de un cubo es menor que $64\ m^3$. ¿Cuál de los siguientes puede ser el lado del cubo?

A. $2\ m$

B. $4\ m$

C. $8\ m$

D. $10\ m$

E. $11\ m$

34) ¿Cuál es el área de un triángulo rectángulo isósceles que tiene un cateto que mide 6 cm?

A. $6\ cm^2$

B. $12\ cm^2$

C. $18\ cm^2$

D. $24\ cm^2$

E. $36\ cm^2$

35) Si $0.00104 = \frac{104}{x}$, ¿Cual es el valor de x?

A. 1,000

B. 10,000

C. 100,000

D. 1,000,000

E. 10,000,000

36) Se llena una bolsa con tarjetas numeradas del 1 al 15 y se seleccionan al azar. ¿Cuál es la probabilidad de que la carta extraída sea la número 8?

A. $\frac{8}{15}$

B. $\frac{7}{15}$

C. $\frac{5}{15}$

D. $\frac{2}{15}$

E. $\frac{1}{15}$

37) En el plano xy, el punto (4,3) y (3,2) están en la línea A. ¿Cuál de los siguientes puntos también podría estar en la línea A?

A. $(5, 7)$

B. $(3, 4)$

C. $(-1,2)$

D. $(-1, -2)$

E. $(-7, -9)$

38) Si $f(x)=2x^3+ 5x^2+ 2x$ y $g(x)= -2$, cuál es el valor de $f(g(x))$?

A. 36

B. 32

C. 24

D. 4

E. 0

39) ¿Cuál es el valor de x en la siguiente figura?

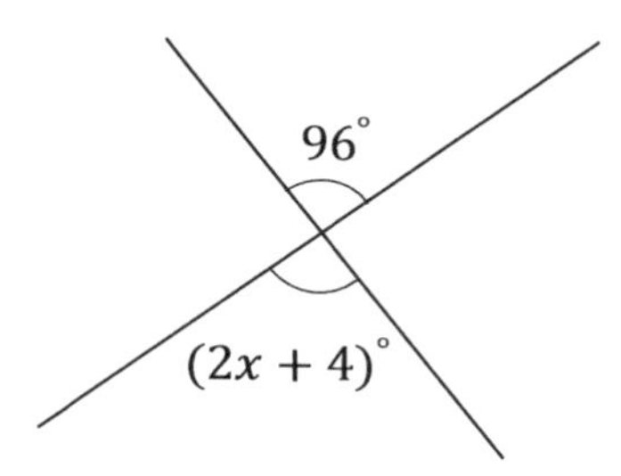

A. 32

B. 46

C. 54

D. 63

E. 76

40) ¿Cuántos números diferentes de dos dígitos se pueden formar con los dígitos 6, 7 y 5, si los números deben ser pares y ningún dígito se puede repetir?

A. 1

B. 2

C. 3

D. 4

E. 5

41) Un camino rectangular de concreto tiene 25 pies de largo, 6 pies de ancho y 24 pulgadas de espesor. ¿Cuál es el volumen del hormigón?

A. 300 ft^3

B. 600 ft^3

C. 660 ft^3

D. 963 ft^3

E. 1,800 ft^3

42) Si $\frac{2y}{x} - \frac{y}{3x} = \frac{(\ldots)}{3x}$ y $x \neq 0$, ¿Qué expresión está representada por $(\ldots)$?

A. $2y + 4$

B. $3y - 6$

C. $5y$

D. $6y$

E. $8y$

56) $200(3 + 0.01)^2 - 200 =$

A. 201.55

B. 361.08

C. 702.88

D. 1,612.02

E. 1,812.02

43) Si se envasan 360 kg de verduras en 90 cajas, ¿cuántas verduras contendrá cada caja?

A. 2.5 kg

B. 3 kg

C. 4 kg

D. 6.5 kg

E. 7 kg

44) Cada número en una secuencia es 4 más que el doble del número que viene justo antes. Si 84 es un número en la secuencia, ¿qué número viene justo antes?

A. 26

B. 35

C. 40

D. 52

E. 88

45) $[6 \times (-24) + 8] - (-4) + [4 \times 5] \div 2 = ?$

A. 148

B. 132

C. -122

D. -136

E. -144

57) Resuelve para x: $2 + \frac{3x}{x-5} = \frac{3}{5-x}$?

A. $\frac{4}{5}$

B. $\frac{6}{5}$

C. $\frac{7}{5}$

D. $\frac{8}{5}$

E. $\frac{9}{5}$

46) Un rectángulo tiene 14 cm de ancho y 5 cm de largo. ¿Cuál es el perímetro de este rectángulo?

A. $29\ cm$

B. $38\ cm$

C. $43\ cm$

D. $49\ cm$

E. $58\ cm$

47) ¿Cuál es el valor de la siguiente expresión? $3\frac{1}{4} + 2\frac{4}{16} + 1\frac{3}{8} + 5\frac{1}{2}$

A. $3\frac{10}{14}$

B. $4\frac{1}{2}$

C. $12\frac{4}{16}$

D. $12\frac{3}{8}$

E. $12\frac{4}{8}$

48) Cierto insecto tiene una masa de 85 miligramos. ¿Cuál es la masa del insecto en gramos?

A. 0.085

B. 0.08

C. 0.85

D. 8.5

E. 85

58) Quitar cuál de los siguientes números cambiará el promedio de los números a 6?

$$1, 4, 5, 8, 11, 12$$

A. 1

B. 4

C. 5

D. 8

E. 11

49) Si $m = 6$ y $n = -3$, cual es el valor de $\frac{5-9(3+n)}{3m-5(2-n)} =$?

A. $\frac{2}{7}$

B. $\frac{3}{7}$

C. $-\frac{4}{7}$

D. $\frac{5}{7}$

E. $-\frac{5}{7}$

50) Clara tiene 28 galletas. Ella está invitando a 7 amigos a una fiesta. ¿Cuántas galletas recibirá cada amigo?

A. 2

B. 4

C. 7

D. 8

E. 21

51) ¿Cuánto tiempo tomará recibir $360 en una inversión de $240 a una tasa de interés simple del 10%?

A. 9 años

B. 15 años

C. 18 años

D. 21 años

E. 24 años

52) ¿Cuántas horas hay en 1800 minutos?

A. 20 horas

B. 25 horas

C. 30 horas

D. 33 horas

E. 60 horas

Fin de la Prueba Práctica de Matemática HiSET 2

Claves de Respuestas de las Pruebas de Práctica de Matemáticas HiSET

Ahora es el momento de revisar sus resultados para ver dónde se equivocó y qué áreas necesita mejorar.

Prueba de práctica de HiSET 1						Prueba de práctica de HiSET 2					
1	C	**21**	B	**41**	D	**1**	D	**21**	D	**41**	D
2	C	**22**	B	**42**	C	**2**	B	**22**	C	**42**	D
3	D	**23**	A	**43**	B	**3**	B	**23**	E	**43**	D
4	C	**24**	B	**44**	B	**4**	D	**24**	B	**44**	C
5	D	**25**	E	**45**	D	**5**	D	**25**	E	**45**	E
6	E	**26**	E	**46**	C	**6**	A	**26**	E	**46**	C
7	E	**27**	B	**47**	A	**7**	C	**27**	E	**47**	A
8	E	**28**	A	**48**	E	**8**	D	**28**	C	**48**	C
9	A	**29**	E	**49**	E	**9**	D	**29**	C	**49**	D
10	E	**30**	C	**50**	B	**10**	C	**30**	C	**50**	A
11	E	**31**	C	**51**	C	**11**	B	**31**	B	**51**	D
12	A	**32**	D	**52**	A	**12**	A	**32**	C	**52**	E
13	E	**33**	C	**53**	C	**13**	D	**33**	E	**53**	D
14	C	**34**	E	**54**	C	**14**	C	**34**	A	**54**	B
15	C	**35**	A	**55**	E	**15**	C	**35**	D	**55**	D
16	B	**36**	C			**16**	A	**36**	D		
17	E	**37**	B			**17**	E	**37**	E		
18	E	**38**	C			**18**	B	**38**	C		
19	D	**39**	A			**19**	C	**39**	B		
20	B	**40**	D			**20**	D	**40**	B		

Respuestas y Explicaciones de las Pruebas de Práctica de Matemáticas HiSET

Explicaciones de la Prueba Práctica de Matemáticas HiSET 1

1) La opción B es correcta

Dos triángulos ΔBAE y ΔBCD son semejantes. Entonces:

$$\frac{AE}{CD}=\frac{AB}{BC}\rightarrow\frac{4}{6}=\frac{x}{12-x}\rightarrow 48-4x=6x\rightarrow 10x=48\rightarrow x=4.8$$

2) La opción B es correcta

El área del trapecio es:

$$Área=\frac{1}{2}h(b_1+b_2)\rightarrow 126=\frac{1}{2}(x)(13+8)\rightarrow 126=10.5x\rightarrow x=12$$

$$y=\sqrt{5^2+12^2}=\sqrt{25+144}=\sqrt{169}=13$$

El perímetro del trapezoide es: $12+13+8+13=46$

3) La opción E es correcta

Primero calcula el número de pies que representa 1 pulgada: $100\ ft\div 5\ in=20\ ft/in$

Luego multiplique esto por el número total de pulgadas: $18\ in\times 20\ ft/in=360\ ft$

4) La opción D es correcta

Comparemos cada fracción: $\frac{2}{7}<\frac{3}{8}<\frac{5}{11}<\frac{3}{4}$

Solo la opción D proporciona el orden correcto.

5) La opción B es correcta

Utilice la fórmula promedio:

$$promedio(media)=\frac{suma\ de\ términos}{número\ de\ términos}=\frac{9+12+15+16+19+16+14.5}{7}=14.5$$

6) La opción B es correcta

Proporción de mujeres a hombres en la ciudad A: $\frac{570}{600}=0.95$

Proporción de mujeres a hombres en la ciudad B: $\frac{291}{300}=0.97$

Proporción de mujeres a hombres en la ciudad C: $\frac{665}{700}=0.95$

Proporción de mujeres a hombres en la ciudad D: $\frac{528}{550}=0.96$

La opción B es el número máximo.

7) La opción E es correcta

Porcentaje de hombres en la ciudad A= $\frac{600}{1{,}170}\times 100=51.28\%$

Porcentaje de mujeres en la ciudad C= $\frac{665}{1{,}365}\times 100=48.72\%$

Porcentaje de hombres en la ciudad A a porcentaje de mujeres en la ciudad C = $\frac{51.28}{48.72}=1.05$

(Darse cuenta de $\frac{51.28}{48.72}$ es mayor que 1 y solo la opción E es mayor que 1)

8) La opción D es correcta

Sea x el número de mujeres que se debe sumar a la ciudad D, entonces:

$\frac{528+x}{550} = 1.2 \rightarrow 528 + x = 550 \times 1.2 \rightarrow x = 132$

9) La opción E es correcta

$6^4 = 6 \times 6 \times 6 \times 6 = 1{,}296$

10) La opción E es correcta

Si cada libro pesa $\frac{1}{5}$ de libra, entonces 1 libra = 5 libros. Para encontrar el número de libros en 50 libras, simplemente multiplique este 5 por 50: $50 \times 5 = 250$

11) La opción D es correcta

Usar la fórmula del volumen de la pirámide cuadrada.

$V = \frac{1}{3}a^2h \Rightarrow V = \frac{1}{3}(12\,m)^2 \times 10\,m \Rightarrow V = 480\,m^3$

12) La opción E es correcta

La fórmula para el área de la superficie de un cilindro es:

$SA = 2\pi r^2 + 2\pi rh \rightarrow 150\pi = 2\pi r^2 + 2\pi r(10) \rightarrow r^2 + 10r - 75 = 0$

Factoriza la expresión y resuelve:

$r^2 + 10r - 75 = 0 \rightarrow (r + 15)(r - 5) = 0 \rightarrow r = 5 \ o \ r = -15 \ \ (inaceptable)$

13) La opción E es correcta

El área del círculo es 16π, entonces, su diámetro es 8.

Área de un circulo $= \pi r^2 = 16\pi \rightarrow r^2 = 16 \rightarrow r = 4$

El radio del circulo es 4 y el diametro es el doble, 8.

Un lado del cuadrado es igual al diámetro del círculo. Entonces:

$\text{Área de un cuadrado} = lado \times lado = 8 \times 8 = 64$

14) La opción A es correcta

La mediana de un conjunto de datos es el valor ubicado en el medio del conjunto de datos. Combine los dos conjuntos proporcionados y organícelos en orden creciente:

$\{1, 3, 4, 6, 8, 10, 12, 14, 15, 17\}$

Dado que hay 10 números (un número par de elementos) en la lista resultante, la mediana es el promedio de los dos números del medio. Mediana $= \frac{(8+10)}{2} = 9$

15) La opción C es correcta

El área de la región no sombreada es igual al área del rectángulo más grande restada por el área del rectángulo más pequeño.

Área del rectángulo más grande $= 12 \times 16 = 192$

Área del rectángulo más pequeño $= 10 \times 4 = 40$

Área de la región no sombreada $= 192 - 40 = 152$

16) La opción E es correcta

En la figura, el ángulo A está etiquetado (3x-2) y mide 37. Por lo tanto, 3x-2=37 y 3x=39 o x=13. Eso significa que el ángulo B, que está etiquetado como (5x), debe medir $5 \times 13 = 65$.

Como los tres ángulos de un triángulo deben sumar 180,

$37 + 65 + y - 8 = 180$, then: $y + 94 = 108 \rightarrow y = 180 - 94 = 86$

17) La opción D es correcta

Encontremos la media (promedio), la moda y la mediana del número de ciudades para cada tipo de contaminación. Número de ciudades por cada tipo de contaminación: $6, 3, 4, 9, 8$

$promedio\ (media) = \frac{suma\ de\ términos}{número\ de\ términos} = \frac{6+3+4+9+8}{5} = \frac{30}{5} = 6$

La mediana es el número en el medio. Para encontrar la mediana, primero enumere los números en orden de menor a mayor. $3, 4, 6, 8, 9$. La mediana de los datos es 6.

La moda es el número que aparece con mayor frecuencia en un conjunto de números. Por lo tanto, no hay modo en el conjunto de números. Mediana = Media, entonces, $a = c$

18) La opción A es correcta

Porcentaje de ciudades en el tipo de contaminación A: $\frac{6}{10} \times 100 = 60\%$

Porcentaje de ciudades en el tipo de contaminación C: $\frac{4}{10} \times 100 = 40\%$

Porcentaje de ciudades en el tipo de contaminación D: $\frac{9}{10} \times 100 = 90\%$

19) La opción A es correcta

Sea x el número de ciudades que se debe sumar al tipo de contaminación B. Entonces:

$\frac{x+3}{8} = 0.625 \rightarrow x + 3 = 8 \times 0.625 \rightarrow x + 3 = 5 \rightarrow x = 2$

20) La opción E es correcta

Sea x el número total de cartas en la caja, entonces el número de cartas rojas es: $x - 246$

La probabilidad de sacar una tarjeta roja es de un tercio. Entonces: probabilidad= $\frac{1}{3} = \frac{x-132}{x}$

Usa la multiplicación cruzada para resolver x.

$x \times 1 = 3(x - 246) \rightarrow x = 3x - 738 \rightarrow 2x = 738 \rightarrow x = 369$

21) La opción C es correcta

Resta $\frac{1}{6b}$ y $\frac{1}{b^2}$ de ambos lados de la ecuación. Entonces:

$\frac{1}{6b^2} + \frac{1}{6b} = \frac{1}{b^2} \rightarrow \frac{1}{6b^2} - \frac{1}{b^2} = -\frac{1}{6b}$

Multiplica tanto el numerador como el denominador de la fracción. $\frac{1}{b^2}$ por 6. Entonces:

$\frac{1}{6b^2} - \frac{6}{6b^2} = -\frac{1}{6b}$

Simplifica el primer lado de la ecuación.: $-\frac{5}{6b^2} = -\frac{1}{6b}$

Usar el método de multiplicación cruzada: $30b = 6b^2 \rightarrow 30 = 6b \rightarrow b = 5$

22) La opción B es correcta

Y y es la intersección de los tres círculos. Por lo tanto, debe ser impar (del círculo A), negativo (del círculo B) y múltiplo de 5 (del círculo C).

De las opciones proporcionadas, solo -5 es impar, negativo y múltiplo de 5.

23) La opción D es correcta

Resuelve para x. $-2 \leq 2x - 4 < 2 \Rightarrow$ Añadir 4 a todos los lados: $-2 + 4 \leq 2x - 4 + 4 < 2 + 4 \Rightarrow$

$2 \leq 2x < 6$. Divide todos los lados entre 2: $1 \leq x < 3$, La opción D representa esta desigualdad.

24) La opción B es correcta

Recuerda que la fórmula para el promedio es: $Promedio = \frac{suma\ de\ datos}{número\ de\ datos}$

Primero, calcule el peso total de todas las bolas en la canasta: $25\ g = \frac{peso\ total}{20\ bolas}$

$peso\ total\ = 25\ g \times 20 \rightarrow$ peso $total = 500\ g$.

Luego, encuentra el peso total de las 5 canicas más grandes:

$40\ g = \frac{peso\ total}{5\ canicas} \rightarrow$ peso $total = 40\ g \times 5 \rightarrow$ peso $total\ = 200\ g$

El peso total de las bolas más pesadas es 200 g. Entonces, el peso total de las 15 bolas restantes es 300 g : 500 g - 200 g = 300 g.

El peso promedio de las bolas restantes: Promedio = $\frac{300\ g}{15\ canicas} = 20\ g$ por bola

25) La opción A es correcta

En el estadio, la proporción de aficionados locales a aficionados visitantes en una multitud es de 5:7. Por lo tanto, el número total de fans debe ser divisible por 12: $5 + 7 = 12$.

Repasemos las opciones:

A. $12{,}324 \rightarrow 12{,}324 \div 12 = 1{,}027$

B. $42{,}326 \rightarrow 42{,}326 \div 12 = 3{,}527.166$

C. $44{,}566 \rightarrow 44{,}566 \div 12 = 3{,}713.833$

D. $66{,}812 \rightarrow 66{,}812 \div 12 = 5{,}567.666$

E. $69{,}752 \rightarrow 69{,}752 \div 12 = 5{,}812.666$

Solo la opción A cuando se divide por 12 da como resultado un número entero.

26) La opción A es correcta

El área del cuadrado es 595.36. Por lo tanto, el lado del cuadrado es la raíz cuadrada del área: $\sqrt{595.36} = 24.4$

El cuádruple del lado del cuadrado es el perímetro: $4 \times 24.4 = 97.6$

27) La opción D es correcta

Puño convertir números mixtos a fracciones: $2\frac{2}{3} - 1\frac{5}{6} = 2\frac{4}{6} - 1\frac{5}{6} = \frac{16}{6} - \frac{11}{6} = \frac{5}{6}$

28) La opción E es correcta

$x = \frac{1}{3}$ y $y = \frac{9}{21}$, sustituya los valores de x e y en la expresión y simplifique:

$\frac{1}{x} \div \frac{y}{3} \rightarrow \frac{1}{\frac{1}{3}} \div \frac{\frac{9}{21}}{3} \rightarrow \frac{1}{\frac{1}{3}} = 3$ y $\frac{\frac{9}{21}}{3} = \frac{9}{63} = \frac{1}{7}$. Entonces: $\frac{1}{\frac{1}{3}} \div \frac{\frac{9}{21}}{3} = 3 \div \frac{1}{7} = 3 \times 7 = 21$

29) La opción E es correcta

Sea x el número de sellos actuales en la colección. Entonces:

$\frac{6}{5}x - x = 100 \rightarrow \frac{1}{5}x = 100 \rightarrow x = 500$

50% maás de 500 es: $500 + 0.50 \times 500 = 500 + 250 = 750$.

30) La opción C es correcta

La suma de 8 números es mayor que 240 y menor que 320. Entonces, el promedio de los 8 números debe ser mayor que 30 y menor que 40.

$\frac{240}{8} < x < \frac{320}{8} \rightarrow 30 < x < 40$

La única opción que está entre 30 y 40 es 35.

31) La opción B es correcta

Los ángulos en una línea recta suman 180 grados. Entonces: $x + 25 + y + 2x + y = 180$

Entonces, $3x + 2y = 180 - 25 \rightarrow 3(35) + 2y = 155 \rightarrow 2y = 155 - 105 = 50 \rightarrow y = 25$

32) La opción B es correcta

Si dos triángulos son semejantes, entonces las razones de los lados correspondientes son iguales.

$\frac{AC}{AE} = \frac{BC}{DE} = \frac{18}{9} = 2, \frac{AC}{AE} = 2$

Esta relación se puede usar para encontrar la longitud de AC: $AC = 2 \times AE$, $AC = 2 \times 9 \rightarrow AC = 18$

La longitud de AE se da como 9 y ahora sabemos que la longitud de AC es 18, por lo tanto:

$EC = AC - AE, EC = 18 - 9, EC = 9$

33) La opción D es correcta

Sea E la edad de Ella, sabemos que Ella es 4 años mayor que Ava: $E = 4 + A \rightarrow A = S - 3$

34) La opción C es correcta

Sea L el largo del rectangular y W el ancho del rectangular. Entonces,

$L = 4W + 3$

El perímetro del rectángulo es de 36 metros. Por lo tanto: $2L + 2W = 36,\ L + W = 18$

Reemplace el valor de L de la primera ecuación en la segunda ecuación y resuelva para W: $(4W + 3) + W = 18 \rightarrow 5W + 3 = 18 \rightarrow 5W = 15 \rightarrow W = 3$

El ancho del rectángulo es de 3 metros y su largo es: $L = 4W + 3 = 4(3) + 3 = 15$

El area del rectangulo es: largo x ancho= $3 \times 15 = 45$

35) La opción C es correcta

La suma de dos ángulos suplementarios es 180 grados. Entonces:

$(3x - 10) + (x + 2) = 180$. Simplifica y resuelve para x: $(3x - 10) + (x + 2) = 180 \rightarrow$

$4x - 8 = 180 \rightarrow 4x = 180 + 8 \rightarrow 4x = 188 \rightarrow x = 47$

36) La opción E es correcta

Sea x todos los gastos, entonces $\frac{22}{100}x = \$660 \rightarrow x = \frac{100 \times \$660}{22} = \$3{,}000$

Gastó en su alquiler: $\frac{27}{100} \times \$3{,}000 = \$810$

37) La opción B es correcta

Para encontrar el área de la región sombreada resta el área del círculo más pequeño del círculo más grande.

$S_{\text{más grande}} - S_{\text{más pequeño}} = \pi(r_{\text{más grande}})^2 - \pi(r_{\text{más pequeño}})^2 \Rightarrow$

$S_{más\ grande} - S_{más\ pequeño} = \pi(6)^2 - \pi(4)^2 \Rightarrow 36\pi - 16\pi = 20\pi\ in^2$

38) La opción E es correcta

El perimetro del rectangulo es: $2x + 2y = 30 \rightarrow x + y = 15 \rightarrow x = 15 - y$

El área del rectángulo es: $x \times y = 50 \rightarrow (15 - y)(y) = 50 \rightarrow y^2 - 15y + 50 = 0$

Resolver la ecuación cuadrática factorizando. $(y - 5)(y - 10) = 0 \rightarrow y = 5$ (Inaceptable, porque y debe ser mayor que 5) o $y = 10$

If $y = 10 \rightarrow x \times y = 50 \rightarrow x \times 10 = 50 \rightarrow x = 5$

39) La opción D es correcta

Primero, encuentra la medida del ángulo RQS. Los ángulos RQS y PQR son suplementarios y por lo tanto su suma es 180 grados. Entonces:

$PQR + RQS = 180 \rightarrow 135 + RQS = 180 \rightarrow RQS = 45$

La suma de todos los ángulos de un triángulo es 180 grados. Entonces:

$45 + 52 + x = 180 \rightarrow 97 + x = 180 \rightarrow x = 83$

40) La opción C es correcta

x es directamente proporcional al cuadrado de y. Entonces: $x = cy^2 \rightarrow 12 = c(2)^2 \rightarrow 12 = 4c \rightarrow$

$c = \frac{12}{4} = 3$. La relación entre x e y es: $x = 3y^2, x = 75 \rightarrow 75 = 3y^2 \rightarrow$

$y^2 = 25 \rightarrow y = 5$

41) La opción D es correcta

La cantidad de dinero que gana Jack por una hora: $\frac{\$616}{44} = \$14$

El número de horas adicionales que trabaja para ganar suficiente dinero es: $\frac{\$826-\$616}{1.5\times\$14} = 10$

El número de horas totales es: $44 + 10 = 54$

42) La opción E es correcta

$2.5\%\ de\ 1200 = \frac{2.5}{100} \times 1200 = 30$

43) La opción D es correcta

Resuelve para x: $x^3 + 18 = 130 \rightarrow x^3 = 112$

Repasemos las opciones.

A. 1 y 2 — $1^3 = 1$ y $2^3 = 8$, 112 no está entre estos dos números.

B. 2 y 3 — $2^3 = 8$ y $3^3 = 27$, 112 no está entre estos dos números.

C. 3 y 4 — $3^3 = 27$ y $4^3 = 64$, 112 no está entre estos dos números.

D. 4 y 5 — $4^3 = 64$ y $5^3 = 125$, 112 está entre estos dos números.

E. 5 y 6 $5^3 = 125$ y $6^3 = 126$, 112 no está entre estos dos números

44) La opción B es correcta

15 segundos es un cuarto de minuto. Un cuarto de 72 es 18. $72 \div 4 = 18$. Jack escribe 18 palabras en 15 segundos.

45) La opción E es correcta

En notación científica todos los números se escriben en forma de: $m \times 10^n$, donde m está entre 1 y 10. Para encontrar un valor equivalente de 0.000,000,000,000,042,121, mueve el punto decimal a la derecha para que tengas un número que esté entre 1 y 10. Entonces: 4.2121. Ahora, determine cuántos lugares se movió el decimal en el paso 1, luego póngalo como la potencia de 10. Movimos el punto decimal 14 lugares. Entonces: 10^{-14} cuando el decimal se movió a la derecha, el exponente es negativo.

Entonces: $0.000,000,000,000,042,121 = 4.2121 \times 10^{-14}$

46) La opción C es correcta

A. $|4-2| = |2| = 2$

B. $|2-4| = |-2| = 2$

C. $|-2-4| = |-6| = 6$

D. $|2-4| - |4-2| = |2| - |2| = 2 - 2 = 0$

E. $|2-4| + |4-2| = |-2| + |2| = 2 + 2 = 4$

La opción C es el número más grande.

47) La opción C es correcta

85% de 40 es: $0.85 \times 40 = 34$. Entonces, el estudiante resuelve 34 preguntas correctamente.

48) La opción B es correcta

Utilice la fórmula de interés simple:

$I = prt$ $(I = interés, p = principal, r = tasa, t = tiempo)$

Interés simple $I = 2{,}500 \times 0.08 \times 6 = 1{,}200$

Ella pagará $1,200 de interés al final de 6 años.

49) La opción D es correcta

Los dos enteros mayores menores que -3.34 son -4 y -5. Como -5 es impar, la respuesta es -4.

50) La opción C es correcta

Dado que el entero x es divisible por 4, sustituya x por 4 en las opciones de respuesta para determinar qué expresión también es divisible por 4: Sea $x = 4$.

Elección A: $x + 1 = 4 + 1 = 5$ Esto NO es divisible entre 4.

Elección B: $2x + 1 = 2(4) + 1 = 9$ Esto NO es divisible entre 4.

Elección C: $2x + 4 = 2(4) + 4 = 12$ Esto es divisible entre 4.

Elección D: $3x + 2 = 3(4) + 2 = 14$ Esto NO es divisible entre 4.

Elección E: $4x + 1 = 4(4) + 1 = 17$ Esto NO es divisible entre 4.

So, La opción C es correcta.

51) La opción E es correcta

Actualmente hay 16 bolas en la bolsa (5+8+3). De esas bolas, 11 no son azules. Entonces, la probabilidad de sacar una bola que no sea azul es $\frac{11}{16}$.

52) La opción B es correcta

$ON = 4 - (-6) = 10$ unidades. Let $x = OM$. Entonces $MN = 10 - x$.

Sustituye estas expresiones en la ecuación dada: $x = \frac{1}{3}(10 - x)$

Resuelve para x: $x = \frac{10}{3} - \frac{x}{3} \rightarrow x + \frac{x}{3} = \frac{10}{3} \rightarrow \frac{4x}{3} = \frac{10}{3} \rightarrow 4x = 10 \rightarrow x = \frac{10}{4} = \frac{5}{2} = 2.5$

$x = OM$. El punto O está en -6. Entonces, el punto M está en: $-6 + 2.5 = -3.5$

53) La opción D es correcta

Primero, calcule el tiempo de conducción de Jack en minutos: 1 hora 20 minutos = 80 minutos. Luego, convierte kilómetros a metros: 160 kilómetros = 160,000 metros

Ahora simplifica la razón para encontrar la respuesta.: $\frac{160{,}000}{80} = 2{,}000$ metros

54) La opción E es correcta

Si x es el entero consecutivo más pequeño, entonces x+1 es el entero consecutivo más grande. Usa su suma (-13) para encontrar x:

$x + (x + 1) = -13 \rightarrow 2x + 1 = -13 \rightarrow 2x = -14 \rightarrow x = -7$

Los dos enteros consecutivos son -7 y -6. 2 se suma al entero más pequeño:

$-7 + 2 = -5$, y 3 se resta del entero mayor: $-6 - 3 = -9$ encuentra el producto: $-5 \times (-9) = 45$

55) La opción D es correcta

La relación entre todos los lados del triángulo rectángulo especial 30°-60°-90° se proporciona en este triángulo:

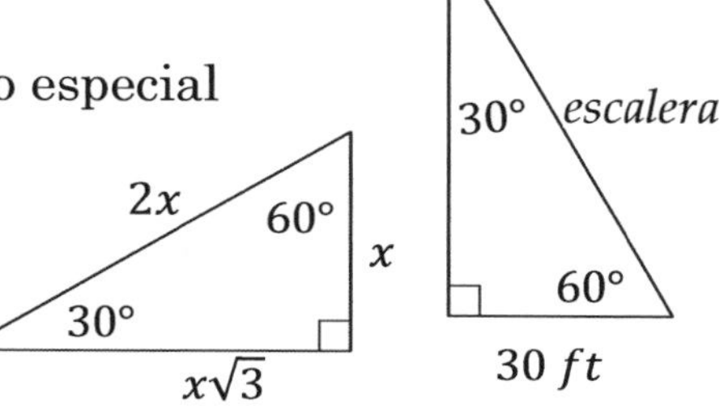

En este triángulo, el lado opuesto del ángulo de 30° es la mitad de la hipotenusa.

Dibuja la forma de esta pregunta:

Esta última es la hipotenusa. Por lo tanto, este último es 60 ft

Explicaciones de la Prueba Práctica de Matemáticas HiSET 2

1) La opción D es correcta

La capacidad de una caja roja es un 20% mayor que la capacidad de una caja azul y puede contener 30 libros. Por lo tanto, queremos encontrar un número que sea 20% más grande que ese número. 30. Sea x ese número. Entonces: 1.20×x=30. Divide ambos lados de la ecuación por 1,2. Entonces: $x = \frac{30}{1.20} = 25$

2) La opción C es correcta

Convertir todo en una ecuación: $35 = (3 \times \text{camisa}) - 10$

Ahora, resuelve la ecuación: $45 = 3$ camisa→ camisa= $\frac{45}{3} = 15$. El precio de la camisa era $15.

3) La opción E es correcta

Primero, convierte la fracción impropia en un número mixto: $-\frac{32}{5} = -6\frac{2}{5}$

Los dos enteros más cercanos a esta fracción son -7 y -6.

El entero menor que $-\frac{32}{5}$ es -7.

4) La opción D es correcta

Sea x igual al ángulo más pequeño del triángulo. Entonces, los tres ángulos son x, 3x y 5x. La suma de los ángulos de un triángulo es 180. Establece una ecuación usando esto para encontrar x:

$x + 3x + 5x = 180 \rightarrow 9x = 180 \rightarrow x = 20$

Como la pregunta pide la medida del ángulo más grande, $5x = 5(20) = 100^{\circ}$

5) La opción E es correcta

El ángulo (2x-5) y 55 son ángulos suplementarios. Por lo tanto:

$(2x - 5) + 55 = 180 \rightarrow 2x + 50 = 180 \rightarrow 2x = 180 - 50 \rightarrow 2x = 130 \rightarrow$

$x = \frac{130}{2} \rightarrow x = 65$

6) La opción A es correcta

$promedio\ (media) = \frac{suma\ de\ términos}{número\ de\ términos} \Rightarrow 85 = \frac{suma\ de\ términos}{50} \Rightarrow suma = 85 \times 50 = 4{,}250$

La diferencia de 94 y 69 es 25. Por lo tanto, se debe restar 25 de la suma.

$4{,}250 - 25 = 4{,}225,\ media = \frac{suma\ de\ términos}{número\ de\ términos} \Rightarrow media = \frac{4{,}225}{50} = 84.5$

7) La opción D es correcta

Resuelve para x. $-4 \leq 4x - 8 < 16 \Rightarrow$ Suma 8 para todos los lados: $-4 + 8 < 4x - 8 + 8 < 16 + 8 \Rightarrow$

$4 < 4x < 24 \Rightarrow$ Divide todos los lados entre 4: $1 \leq x < 6$. La opción D representa esta desigualdad.

8) La opción C es correcta

Basado en el teorema de similitud de triángulos: $\frac{a}{a+b} = \frac{c}{3} \rightarrow c = \frac{3a}{a+b} = \frac{3\sqrt{3}}{3\sqrt{3}} = 1 \rightarrow$ El área de la región sombreada es: $\left(\frac{c+3}{2}\right)(b) = \frac{4}{2} \times 2\sqrt{3} = 4\sqrt{3}$

9) La opción C es correcta

Una ecuación lineal es una relación entre dos variables, xey, y se puede escribir en la forma y=mx+b. Una relación lineal no proporcional toma la forma y=mx+b, donde b≠0 y su gráfica es una recta que no pasa por el origen. Solo en el gráfico C, la recta no pasa por el origen.

10) La opción D es correcta

Con base en el teorema de similitud de triángulos, establezca una proporción para resolver x:

$\frac{x+8}{x} = \frac{6}{4} \rightarrow 4(x + 8) = 6x \rightarrow 4x + 32 = 6x \rightarrow 32 = 2x \rightarrow x = 16$

11) La opción B es correcta

Utilice la fórmula de interés simple:

$I = prt\ (I = interés\ , p = principal, r = tasa, t = tiempo)$

$I = prt \rightarrow 600 = (3{,}000)(0.05)(t) \rightarrow 600 = 150t \rightarrow t = 4$

12) La opción D es correcta

Para resolver, suma las dos fracciones dadas: $2\frac{2}{5} + 1\frac{3}{4}$

El común denominador es 20: $2\frac{8}{20} + 1\frac{15}{20} = 3\frac{23}{20} = 4\frac{3}{20}$

13) La opción D es correcta

Considere el caso donde $k = 1$

$n - k = 46 \rightarrow n - 1 = 46 \rightarrow n - 1 + 1 = 46 + 1 \rightarrow n = 47$

La lista de enteros del 1 al 47 contiene 47 números.

14) La opción E es correcta

La hoja de papel original mide $2\frac{3}{5}$ pies de largo.

La hoja más corta mide x pies de largo y debe tener menos de la mitad de la longitud de la hoja de papel original. Como la mitad de $2\frac{3}{5}$ es $1\frac{3}{10}$ se sigue que $x < 1\frac{3}{10}$.

15) La opción A es correcta

Primero, encuentre la suma de la calificación del curso de Anna, $promedio = \frac{suma\ de\ términos}{número\ de\ términos} \Rightarrow$

$80 = \frac{suma\ de\ la\ nota\ del\ curso}{5} \rightarrow la\ suma\ de\ la\ nota\ del\ curso = 80 \times 5 = 400$

Anna y William tienen la misma suma de calificaciones del curso, ahora encuentre la media de Williams

Promedio= $\frac{suma\ de\ la\ nota\ del\ curso}{numero\ del\ curso} \Rightarrow \frac{400}{8} = 50$

16) La opción C es correcta

Como ambas razones tienen y en común, resuelve x y z en términos de y en ambas ecuaciones. Usando x:y=1:3, resuelve x en términos de y. $\frac{x}{y} = \frac{1}{3} \rightarrow x = \frac{1}{3}y$

Usando la proporción $y: z = 2: 5$, resolver para z en términos de y: $\frac{y}{z} = \frac{2}{5} \rightarrow z = \frac{5}{2}y$

La pregunta dice $x + y + z = 69$

Sustituya de las dos ecuaciones anteriores y resuelva para y.

$\frac{1}{3}y + y + \frac{5}{2}y = 69 \rightarrow \frac{2y+6y+15y}{6} = 69 \rightarrow \frac{23}{6}y = 69 \rightarrow 23y = 414 \rightarrow y = 18$

17) La opción D es correcta

Multiplica cada término por 3 para eliminar la fracción y aísla x:

$-1(3) < \left(\frac{x}{3}\right)(3) < 2(3) \rightarrow -3 < x < 6$, por lo tanto, x debe estar entre -3 y 6. Solo la opción D representa todos los valores de x.

18) La opción D es correcta

Enumere en orden los números impares entre 5 y 30: 7,9,11,13,15,17,19,21,23,25,27 y 29. Como los números son números impares consecutivos, la media y la mediana son iguales. La mediana es el número en el medio. Como tenemos 12 números, la mediana es el promedio de los números 6 y 7 que son 17 y 19. La media (o la mediana) es: Media $= \frac{17+19}{2} = 18$

19) La opción C es correcta

Elevar al cuadrado ambos lados de la ecuación: $(\sqrt{2y})^2 = (\sqrt{5x})^2 \rightarrow 2y = 5x$

Resuelve para x: $x = \frac{2}{5}y$

20) La opción B es correcta

El área de un trapecio se puede determinar usando la fórmula: $A = \frac{1}{2} \times (a + b) \times h$

Sabemos: $DC = 4\ cm$, $AE = 2\ cm$, and $AD = 4\ cm \rightarrow$

$A = \frac{1}{2} \times (4\ cm + 2\ cm) \times 4\ cm = 12\ cm^2$

21) La opción B es correcta

60% de los estudiantes no pueden nadar→ $100 - 60 = 40\%$ puede nadar.

Then: $0.40 \times 45 = 18$

22) Entonces opción D es correcta

Dinero recibido por 14 personas =$8,400. Entonces, el dinero recibido por una persona es:

$\frac{\$8{,}400}{14} = \$600$

23) La opción A es correcta

Hay 12 palos en la caja (6+4+2). Entonces, la probabilidad de que Emma saque un palo verde es: Probabilidad= $\frac{6}{12} = \frac{1}{2}$

24) La opción D es correcta

Primero, calcula el área del círculo y el área del cuadrado:

Área del círculo = $\pi r^2 = \pi(6)^2 = 36\pi = 113.04\ cm^2$

Área de cuadrado= $5\ cm \times 5\ cm = 25\ cm^2$

Para calcular el área sombreada, resta el área del cuadrado del área del círculo: $113.04\ cm^2 - 25\ cm^2 = 88.04\ cm^2$

25) La opción B es correcta

Use la expresión de aumento porcentual para encontrar la respuesta:

$\frac{precio\ nuevo - precio\ original}{precio\ original} = \frac{5.67 - 5.40}{5.40} = 0.05 = 5\%$

26) La opción C es correcta

Sea x el número de canicas azules. Escribe los elementos de la razón como una fracción:

$\frac{x}{150} = \frac{4}{3} \rightarrow 3x = 600 \rightarrow x = 200$

27) La opción A es correcta

Sea x el número: $\frac{5}{8}x = 90 \rightarrow x = 90 \times \frac{8}{5} = \frac{720}{5} = 144$

28) 4La opción E es correcta

Establece una proporción para resolver: $\frac{\frac{5}{14} cereza}{\frac{5}{70} manzana} = \frac{x\ cereza}{1\ manzana} \rightarrow \frac{5}{14} \times \frac{70}{5} = x \rightarrow x = \frac{70}{14} = \frac{10}{2} \rightarrow x = 5$

29) La opción B es correcta

El área del LMNO cuadrado es de 16 centímetros cuadrados.

Así que: $S^2 = 16 \rightarrow \sqrt{S^2} = \sqrt{16} \rightarrow S = 4\ cm$

Los lados LO y NO son cada uno un radio del círculo. Entonces, el radio del círculo es de 4 cm. Calcula el area de $\frac{1}{4}$ del circulo. El área de un círculo es $A = \pi r^2$. Entonces el área de $\frac{1}{4}$ del círculo, en centímetros cuadrados, es $\frac{1}{4}A = \frac{1}{4}\pi r^2 = \frac{1}{4}\pi(4)^2 = \frac{1}{4}\pi(16) = 4\pi$. Para calcular el área de la región sombreada, reste el área de $\frac{1}{4}$ del círculo del área del cuadrado. El área del par sombreado: $16 - 4\pi$: y $\pi = 3.14$, entonces, la respuesta es:

$16 - 4\pi = 16 - 12.56 = 3.44$

30) La opción D es correcta

$2m = n + 5 \rightarrow m = \frac{n+5}{2}$. Sustituye cada valor de n para encontrar los valores de m:

$$m = \frac{5+5}{2} = \frac{10}{2} = 5$$

$$m = \frac{3+5}{2} = \frac{8}{2} = 4$$

$$m = \frac{7+5}{2} = \frac{12}{2} = 6$$

El conjunto de m es $\{5,4,6\}$

31) La opción B es correcta

Sustituye 25 por x en la ecuación.

A. $x + 10 = 40 \rightarrow 25 + 10 \neq 40$

B. $4x = 100 \rightarrow 4(25) = 100$

C. $3x = 70 \rightarrow 3(25) \neq 70$

D. $\frac{x}{2} = 12 \rightarrow \frac{25}{2} \neq 12$

E. $\frac{x}{3} = 8 \rightarrow \frac{25}{3} \neq 8$

Solo la opción B es correcta.

32) La opción D es correcta

Jack obtuvo una media de 80 por prueba. En las primeras 4 pruebas, la suma de puntuaciones es: 80×4=320. Ahora, calcula la media de las 5 pruebas.: $\frac{320+90}{5} = \frac{410}{5} =$ 82

33) La opción B es correcta

El volumen del cubo es menor que 64 m^3. Usa la formula del volumen de cubos.

Volumen $= (un\ lado)^3 \Rightarrow 64 = (un\ lado)^3$. Find the cube root of both sides.

$64 = (un\ lado)^3 \rightarrow un\ lado = \sqrt[3]{64} = 4\ m$

Entonces: 4= un lado. El lado del cubo es menor que 4. Solo la opción A es menor que 4.

34) La opción C es correcta

Primero dibuja un triángulo isósceles. Recuerda que dos catetos del triangulo son iguales.

Vamos a poner a para los catetos. Entonces:

$a = 6 \Rightarrow$ El área del triángulo es $= \frac{1}{2}(6 \times 6) = \frac{36}{2} = 18\ cm^2$

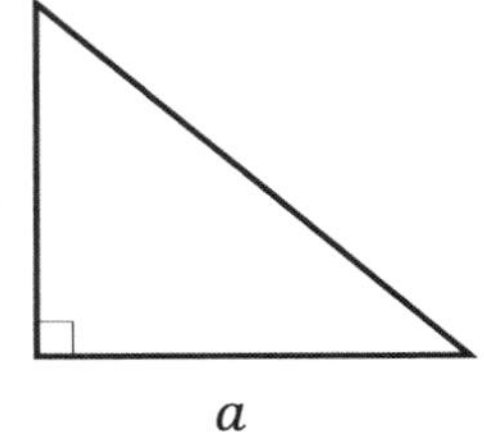

35) La opción C es correcta

Resolver x: $0.00104 = \frac{104}{x}$, multiplica ambos lados por x, $(0.00104)(x) = \frac{104}{x}(x)$.

Simplifica: $0.00104x = 104$. Dividir ambos lados entre 0.00104: $\frac{0.00104x}{0.00104} = \frac{104}{0.00104}$, simplifica

$x = \frac{104}{0.00104} = 100{,}000$

36) La opción E es correcta

El número de cartas en la bolsa es 15.

$Probabilidad = \frac{número\ de\ resultados\ deseados}{número\ de\ resultados\ totales} = \frac{1}{15}$

37) La opción D es correcta

La ecuación de una recta tiene la forma y=mx+b, donde m es la pendiente de la recta y b es la intersección con el eje y de la recta. Dos puntos (4,3) y (3,2) están en la línea A. Por lo tanto, la pendiente de la línea A es: $m = \frac{y_2 - y_1}{x_2 - x_1} = \frac{2-3}{3-4} = \frac{-1}{-1} = 1$

La pendiente de la línea A es 1. Por lo tanto, la fórmula de la línea A es: y=x+b, elija un punto e introduzca los valores de xey en la ecuación para resolver b. Elijamos el punto (4,3). Entonces:

$y = x + b \rightarrow 3 = 4 + b \rightarrow b = 3 - 4 = -1$

La ecuación de la línea A es: $y = x - 1$

Ahora, revisemos las opciones proporcionadas:

A. $(5,7)$	$y = x - 1 \rightarrow 7 = 5 - 1 = 4$	Esto no es verdad.
B. $(3,4)$	$y = x - 1 \rightarrow 4 = 3 - 1 = 2$	Esto no es verdad.
C. $(-1,2)$	$y = x - 1 \rightarrow 2 = -1 - 1 = -2$	Esto no es verdad.
D. $(-1,-2)$	$y = x - 1 \rightarrow -2 = -1 - 1 = -2$	Esto es cierto.
E. $(-7,-9)$	$y = x - 1 \rightarrow -9 = -7 - 1 = -8$	Esto no es verdad.

38) La opción E es correcta

$g(x) = -2$, entonces $f(g(x)) = f(-2) = 2(-2)^3 + 5(-2)^2 + 2(-2) = -16 + 20 - 4 = 0$

39) La opción B es correcta

$(2x + 4)^\circ$ y 96° son ángulos verticales. Los ángulos verticales son iguales en medida.

Entonces: $2x + 4 = 96 \rightarrow 2x = 92 \rightarrow x = 46$

40) La opción B es correcta

Los números de dos dígitos deben ser pares, por lo que los únicos números de dos dígitos posibles deben terminar en 6, ya que 6 es el único dígito par dado en el problema. Como los números no se pueden repetir, las únicas posibilidades para números pares de dos dígitos son 76 y 56. Por lo tanto, la respuesta es dos números posibles de dos dígitos.

41) La opción A es correcta

Primero convierta 24 pulgadas a pies. 12 pulgadas = 1 pie, por lo tanto: $24 \div 12 = 2$ pies. Luego, calcule el volumen, en pies cúbicos: $25 \times 6 \times 2 = 300\ ft^3$

42) La opción C es correcta

Usar las propiedades de las ecuaciones para determinar la expresión que falta. $\frac{2y}{x} - \frac{y}{3x} = \frac{(\dots)}{3x}$

$\frac{3}{3} \cdot \frac{2y}{x} - \frac{y}{3x} = \frac{(\dots)}{3x} \rightarrow \frac{6y}{3x} - \frac{y}{3x} = \frac{(\dots)}{3x} \rightarrow \frac{6y-y}{3x} = \frac{(\dots)}{3x} \rightarrow (\dots) = 5y$

43) La opción D es correcta

Primero calcule el valor de los exponentes, luego multiplique y reste:

$200(3 + 0.01)^2 - 200 = 200(3.01)^2 - 200 = 200(9.06) - 200 = 1{,}612.02$

44) La opción C es correcta

Ya que 90 cajas contienen 360 kg de verdura. Por lo tanto, 1 caja contiene

$\frac{360\,kg}{90} = 4\,kg$ **vegetales.**

45) La opción C es correcta

Sea n un número en la secuencia y sea x el número que viene justo antes $n. n = 4 + 2x \rightarrow 84 = 4 + 2x \rightarrow 80 = 2x \rightarrow x = 40$

46) La opción C es correcta

Utilice PEMDAS (orden de operación):$[6 \times (-24) + 8] - (-4) + [4 \times 5] \div 2 =$

$$[-144 + 8] - (-4) + [20] \div 2 = [-144 + 8] + 4 + 10 = [-136] + 4 + 10 = -122$$

47) La opción C es correcta

Primero, encuentre un denominador común para 2 y $\frac{3x}{x-5}$. Es $x - 5$. Entonces:

$2 + \frac{3x}{x-5} = \frac{2(x-5)}{x-5} + \frac{3x}{x-5} = \frac{2x-10+3x}{x-5} = \frac{5x-10}{x-5}$. Ahora, multiplica el numerador y el denominador de $\frac{3}{5-x}$ por -1. Entonces: $\frac{3\times(-1)}{(5-x)\times(-1)} = \frac{-3}{x-5}$. Reescribe la expresión: $\frac{5x-10}{x-5} = \frac{-3}{x-5}$. Como los denominadores de ambas fracciones son iguales, entonces, los numeradores deben ser iguales. $5x - 10 = -3 \rightarrow 5x = 7 \rightarrow x = \frac{7}{5}$.

48) La opción B es correcta

el perimetro de un rectangulo es igual a la suma de todos los lados del rectángulo:

Perímetro $= 2(14) + 2(5) = 28 + 10 = 38\,cm$

49) La opción D es correcta

$3\frac{1}{4} + 2\frac{4}{16} + 1\frac{3}{8} + 5\frac{1}{2}$. Convierte todas las fracciones a un denominador común (16):

$3\frac{4}{16} + 2\frac{4}{16} + 1\frac{6}{16} + 5\frac{8}{16} = (3 + 2 + 1 + 5) + \left(\frac{4+4+6+8}{16}\right) = 11 + 1\frac{6}{16} = 12\frac{6}{16} = 12\frac{3}{8}$

50) La opción A es correcta

Un gramo es igual a 1000 miligramos, o 1 miligramo es igual a $\frac{1}{1,000}$ gramos.

Así, 85 miligramos $= \frac{85}{1,000} = 0.085$ gramos

51) La opción E es correcta

Marque cada opción proporcionada:

A. 1 $\quad \frac{4+5+8+11+12}{5} = \frac{40}{5} = 8$

B. 4 $\quad \frac{1+5+8+11+12}{5} = \frac{37}{5} = 7.4$

C. 5 $\quad \frac{1+4+8+11+12}{5} = \frac{36}{5} = 7.2$

D. 8 $\quad \frac{1+4+5+11+12}{5} = \frac{43}{5} = 8.6$

E. 11 $\frac{1+4+5+8+12}{5} = \frac{30}{5} = 6$

52) La opción E es correcta

Sustituye 6 por m y -3 por n:

$$\frac{5-9(3+n)}{3m-5(2-n)} = \frac{5-9(3+(-3))}{3(6)-5(2-(-3))} = \frac{5-9(0)}{18-5(5)} = \frac{5}{18-25} = \frac{5}{-7} = -\frac{5}{7}$$

53) La opción B es correcta

Para responder a esta pregunta, tenemos que dividir 28 entre 7: $\frac{28}{7} = 4$

54) La opción B es correcta

El interés simple (y) se calcula multiplicando el depósito inicial (p), por la tasa de interés (r), y el tiempo (t). $360 = 240 \times 0.10 \times t \rightarrow 360 = 24t \rightarrow t = \frac{360}{24} = 15$

Por lo tanto, se necesitan 15 años para obtener $360 con una inversión de $240.

55) La opción C es correcta

Hay 60 minutos en 1 hora. Divide el número de minutos por el número de minutos en 1 hora: $\frac{1{,}800}{60} = 30$ horas

Effortless Math's HiSET Online Center

... Mucho más en línea!

Effortless Math Online HiSET Math Center ofrece un programa de estudio completo, que incluye lo siguiente:

- ✓ Instrucciones paso a paso sobre cómo prepararse para el examen HiSET Math
- ✓ Numerosas hojas de trabajo de HiSET Math para ayudarlo a medir sus habilidades matemáticas
- ✓ Lista completa de fórmulas de HiSET Math
- ✓ Lecciones en video para temas de HiSET Math
- ✓ Pruebas de práctica completas de HiSET Math
- ✓ Y mucho más...

No es necesario registrarse.

¡Reciba la versión PDF de este libro u obtenga otro libro GRATIS!

¡Gracias por usar nuestro libro!

¿Te ENCANTA este libro?

¡Entonces, puede obtener la versión PDF de este libro u otro libro absolutamente GRATIS!

Por favor envíenos un correo electrónico a:

info@EffortlessMath.com

para detalles.

Nota final del autor

Espero que hayan disfrutado leyendo este libro. ¡Has superado el libro! ¡Gran trabajo!

En primer lugar, gracias por comprar este libro de práctica. Sé que podría haber elegido cualquier cantidad de libros que lo ayudaran a prepararse para su prueba de Matemáticas HiSET, pero eligió este libro y le estoy muy agradecido.

Me tomó años escribir este libro de trabajo para HiSET Math porque quería preparar un libro de trabajo completo de HiSET Math para ayudar a los examinados a hacer el uso más efectivo de su valioso tiempo mientras se preparan para el examen.

Después de enseñar y dar tutorías en cursos de matemáticas durante más de una década, he reunido mis notas y lecciones personales para desarrollar este libro de práctica. Es mi mayor deseo que los ejercicios de este libro puedan ayudarlo a prepararse para su examen con éxito.

Si tiene alguna pregunta, por favor póngase en contacto conmigo en reza@effortlessmath.com y estaré encantado de ayudar. Sus comentarios me ayudarán a mejorar en gran medida la calidad de mis libros en el futuro y hacer que este libro sea aún mejor. Además, espero haber cometido algunos errores menores en alguna parte de este libro. Si cree que este es el caso, hágamelo saber para que pueda solucionar el problema lo antes posible.

Si disfrutó de este libro y encontró algún beneficio al leerlo, me gustaría saber de usted y espero que pueda tomarse un minuto para publicar una reseña en el book's Amazon page. Para dejar sus valiosos comentarios, visite: amzn.to/2ODA9RW

O escanea este código QR.

Yo reviso personalmente cada reseña para asegurarme de que mis libros realmente lleguen y ayuden a los estudiantes y a los examinados. ¡Ayúdeme a ayudar a los examinados de Matemáticas HiSET dejando una reseña!

¡Le deseo todo lo mejor en su éxito futuro!

Reza Nazari

Profesor de matemáticas y autor